P9-ECV-612

!

ver!ssimo

rua Cosme Velho, 103
Rio de Janeiro – RJ – CEP: 22241-090
Tel.: (21) 2199-7824
Fax: (21) 2199-7825
www.objetiva.com.br

Coordenação editorial
Isa Pessôa

Capa e projeto gráfico
Crama Design Estratégico

Escultura e ilustração
Ricardo Leite

Esculturas das máscaras de capa e contracapa inspiradas no desenho de Caulos, autor da capa de Comédias da Vida Privada *(1994).*

Fotos Verissimo
Bel Pedrosa

Revisão
Neusa Peçanha
Taís Monteiro
Rita Godoy

Editoração eletrônica
FA Editoração

V517m
Verissimo, Luis Fernando
O melhor das comédias da vida privada / Luis Fernando Verissimo. - Rio de Janeiro : Objetiva, 2004.

293p. ISBN 85-7302-617-0

1. Literatura brasileira - Crônicas. I. Título.

CDD: B869.4

LUIS FERNANDO

ver!ssimo

O melhor das comédias da vida privada

Sumário

Fidelidades e Infidelidades

Regininha ou os três dias do condor, 13
Champignons recheados, 16
Pijamas de seda, 19
O marido do Dr. Pompeu, 22
Aqueles tempos, 24
Convenções, 26
Cuecas, 29
Quindins, 32
O rival, 34
João e Maria, 36
A Legítima e a Outra, 39
A mulher do Silva, 42
Rosamaria, 44
Carpaccio, 48
As noivas do Grajaú, 52

Encontros e Desencontros

Mike Magui, 57
Trinta anos, 59
O primeiro homem, 61
Negar fogo, 64
O Murilinho, 67
As time goes by, 70
Posto 5, 72
Férias, 76

Sala de espera, 79
João Paulo Martins, 83
Lixo, 87
Meninas, 91
Na corrida, 94
Uma surpresa para Daphne, 98
O reencontro, 101
Enquanto dure, 104
A Vilminha, 107
Paixões, 110
Moça do interior, 114

Eles e/ou Elas

A retranqueta do polidor, 119
Persuasão, 121
Saudade, 124
Antigas namoradas, 128
A russa do Maneco, 132
Holisticamente, 135
Contos rápidos, 138
A comadre, 140
O Mendoncinha, 142
Flagrante de praia, 145
Falando sério, 147
Carlinhos, Carlinhos, 150
Aniversário, 153
Batalha, 156
Fantástico, os olhos de bóxer, 159
Fuga, 163
Diálogo, 165

A frase, 169
Amigos, 173
Suspiros, 177
Os quarenta, 180
Gaúchos e cariocas, 183
Bom provedor, 187
Sentidos, 189
Pelo Ariovaldo, 191
Homem, mulher, essas coisas, 193

Família

Casa na serra, 197
Tios, 199
O Nono e o Nino, 203
Reencontro, 207
Povo, 212
A volta da Andradina, 215

Pais e Filhos

A descoberta, 221
Pai não entende nada, 225
Mães, 226
O mundo restaurado, 228
Puxa-puxa, 231

No Bar

Dezesseis chopes, 237
Noites do Bogart, 240
Rubens, 257
Primavera, 259

Metafísicas

E se um asteróide..., 265
Aquática, 267
O homem que caiu do céu, 270
Preâmbulos, 273
Viagem perfeita, 275
O que eu pediria ao Diabo, 277
Metafísica, 280
Reversões, 283
Eu, Tarzan?, 285
A vida eterna, 287
A entrega, 290
Gente-casa, 292

Fidelidades e Infidelidades

!

Regininha ou os três dias do condor

O Vilson reconhece que errou. Sua única defesa é que é um homem e que os homens estão sujeitos a isso, principalmente depois dos 40. Nenhum homem com mais de 40 está livre de ver aparecer uma Regininha em sua vida.

Vilson conheceu a Regininha no trabalho. Tudo aconteceu porque o Veiga, que normalmente atendia no balcão, tinha ido tomar um café e o Vilson, apesar de ser chefe da repartição, se vira obrigado a atender a moça. Depois a moça se atrapalhara no preenchimento do formulário e o Vilson se vira obrigado a dar a volta no balcão para ajudá-la, postando-se atrás dela e guiando a sua mão pelo labirinto burocrático do papel, sentindo o perfume da sua nuca. É sabido que depois dos 40 os homens ficam indefesos contra perfume de nuca.

Aconteceu. Pronto. Vilson não nega. Quando a moça assinara seu nome embaixo do formulário — Regina Flores —, Vilson ainda segurava sua mão e roçava sua nuca com o queixo, e quem pensa na família, na profissão e no ridículo numa hora dessas? Os dois só esperaram o tempo de Vilson carimbar o formulário e atirá-lo longe para sair dali quase correndo, e durante três dias Vilson não apareceu em casa nem telefonou.

Quando apareceu, foi para contar tudo e dizer "Aconteceu. Pronto". A mulher, Matilde, que fizesse o que quisesse. Se decidisse expulsá-lo de casa, ele iria. Se decidisse aceitá-lo de volta, ele voltaria. A Regininha fora uma loucura passageira. Um acesso. Um ataque. Isso: um espasmo. Um espasmo de três dias.

Matilde aceitou-o de volta e a família voltou à rotina. Mas na primeira vez que reclamou de alguma coisa dentro de casa, Vilson ouviu o desafio da mulher:

— E a Regininha?

E dali em diante, toda vez que ameaçava uma queixa de qualquer membro da família, ouvia a mesma resposta. Ou deixava de fazer a queixa para não ouvir a resposta. Até nas coisas mais banais.

— A sopa está com pouco sal.

— E a Regininha?

No outro dia o Vilson estava tentando dormir a sesta e começou uma algazarra no corredor do seu andar. Abriu a porta e viu os garotos do 604, o Euzébio e o Euzir, batendo bola, chutando a bola contra as paredes e as portas.

— Vocês estão incomodando todo o prédio! — disse Vilson.

E o menor, o Euzir, respondeu com sua voz fina:

— Ah, é? E a Regininha?

Vilson fechou a porta, voltou para o sofá e tentou dormir, mesmo com o barulho. Sem saber quanto tempo passaria até que a Regininha fosse esquecida. Talvez anos, talvez décadas. Talvez nunca esquecessem, e a Regininha fosse o único assunto no seu velório. Talvez a Regininha reinasse na sua posteridade. Talvez a Regininha fosse a referência da sua vida.

— Lembra do Vilson?

— Quem?!

— Vilson. O da Regininha.

— Ah!

Vilson dormiu. E sonhou. E sorriu enquanto dormia, sonhando com os três dias.

Champignons recheados

Tinham se separado mas mantinham relações cordiais ou, como as descrevia o Marcelo, "saudavelmente hipócritas". Quando se encontravam, conversavam civilizadamente. O que era surpreendente, pois o casamento terminara com a Helena atirando uma frigideira na sua cabeça.

Foi numa dessas conversas civilizadas que a Helena, depois de hesitar e pedir para ele não estranhar o pedido, disse que iria receber umas amigas em casa para jantar na noite seguinte e perguntou se Marcelo faria os seus *champignons* recheados para ela servir às convidadas.

Marcelo ficou saboreando o momento, pensando nas várias respostas que poderia dar. Afinal, junto com a frigideira, ela lhe atirara a frase: "E leve as suas malditas receitas com você!". Agora estava pedindo que ele preparasse uma das suas malditas receitas. Para ganhar tempo, antes de escolher a resposta, perguntou:

— Quem são as amigas?

— São novas. Você não conhece. E então?

Marcelo sorriu. Escolhera uma resposta irônica, mas simpática.

— Vou precisar daquela frigideira. Você ainda tem?

Marcelo preparou os *champignons* à tarde e deixou instruções sobre como aquecê-los, na hora de servir. Como esquecera seu jogo de facas na cozinha da ex-mulher, foi buscá-lo na manhã seguinte.

Helena custou a abrir a porta, depois abriu de camisola e com cara de sono. Tinha ido dormir tarde. Marcelo entrou e viu que a mesa de jantar ainda estava posta. Para dois. Duas garrafas de vinho vazias, uma emborcada. Dois copos, dois pratos de sobremesa e um cinzeiro sujos.

— Era só uma? — perguntou Marcelo.

— Uma o quê?

— Amiga.

— Ah. É. As outras não vieram.

Marcelo examinou o cinzeiro.

— Só veio a que fumava charuto?

Helena ficou em silêncio. Marcelo fez um sinal com a cabeça na direção do quarto de dormir. Perguntou:

— Ele ainda está aqui?

— Não! Só jantou e foi embora. Eu não...

— Quem é ele?

— Você não conhece.

— Muito bem, muito bem. Então eu preparei o alimento para você dar a outro homem. Fui o fornecedor no meu próprio corneamento. Muito bem, muito bem.

— Ninguém corneou ninguém, Marcelo. E mesmo, nós não estamos mais casados. Eu recebo quem eu quero e dou comida para quem eu quero!

— Os meus *champignons* recheados, não senhora!

— Pois quer saber de uma coisa? Ele odiou os seus *champignons*!

— O quê?!

— Odiou. Disse que já comeu muitos melhores e que o seu tempero está ultrapassado.

— Ah, é? Ah, é?

No fim daquela tarde, Marcelo telefonou para Helena. E pediu:

— Convida ele de novo.

— Quem?

— O cara de ontem. O que não gostou dos meus *champignons*.

— Eu não!

— Convida, Heleninha. Pensei em fazer meu suflê de quatro queijos. Você acha que ele é um homem de suflês?

— Eu não tenho a menor intenção de convidá-lo pra jantar outra vez.

— Pô, Heleninha. Ele merece outra chance. E eu também.

Helena cedeu. Só não aceitou o pedido do Marcelo para ficar escondido na cozinha, espiando por uma fresta o homem comer o seu suflê. Perversão, não.

Pijamas de seda

Délio era tão mau caráter que enternecia as pessoas. Diziam "Flor de cafajeste" como se dissessem "Figuraça". E brincavam com ele:

— Délio, é verdade que você venderia a própria mãe?

— O que é isso — dizia o Délio, com modéstia.

Volta e meia alguém se apiedava de uma vítima do Délio. De uma das viúvas que ele enganava. Mas logo aparecia alguém para defendê-lo. Quem se envolvia com o Délio, com aquela cara de cafajeste, estava pedindo. Tudo que alguém precisava saber sobre o Délio estava na sua cara. Só se enganava com o Délio quem queria. Ou achava que a cara estava mentindo, que ninguém podia ser tão cafajeste assim.

Mas foi justamente uma viúva a responsável pela queda do Délio. Uma viúva e a fatal atração do Délio por pijamas. Ele tinha uma coleção de pijamas, muitos herdados de maridos mortos, presenteados pelas viúvas. E um dia um grupo foi visitar o Bonato no seu leito de morte. O Délio e mais uns três ou quatro. Na saída do quarto do Bonato, estavam todos impressionados com a cena dele nas últimas, mal podendo respirar, e sua mulher, a Leinha, segurando sua mão, e seu afilhado Davi, com sua cara de sonso, mal contendo o choro. O Délio comentou:

— Viram só?

— Pois é. Pobre do Bonato. Está nas últimas.

— Não, não — disse o Délio. — O pijama dele. De seda pura! E outra coisa: com monograma.

Seria facílimo transformar o "B" de Bonato em "D" de Délio. O Délio tinha uma cerzideira especialista em alterar monogramas.

Fizeram apostas no grupo sobre quanto tempo levaria para o Délio conquistar a Leinha. Três meses depois do enterro, o Délio foi visto na rua carregando um pacote, feliz da vida. Disse que estava levando os pijamas de seda do Bonato para a sua cerzideira. A viúva estava no papo.

Depois o Délio sumiu. Todos imaginaram que ele e Leinha estivessem em lua-de-mel. Talvez em Cancun. Mas um dia encontraram a Leinha e, quando perguntaram pelo Délio, ela deu de ombros e disse: "Sei lá." E Cancun, como estava Cancun? "Que Cancun?"

Finalmente, Délio apareceu. Deprimidíssimo. Só com o tempo e a insistência dos outros foi contando o que acontecera. Tinha encontrado alguém mais sem caráter do que ele.

— Quem, Délio?

— O Davi.

O Davi?! O afilhado do Bonato? Com aquela cara de sonso? "Exatamente", disse Délio. Com aquela cara dissimulada. Pelo menos ele, Délio, não disfarçava sua cafajestice. Ao contrário do Davi, que escondia a sua sob uma máscara de sacristão. Davi, o que mais chorava no enterro do padrinho, embora já fosse amante da Leinha. Davi, que chantageara Leinha, ameaçando deixá-la depois da morte do Bonato. Fora para segurar Davi que Leinha lhe dera os pijamas de seda do Bonato, com o "B" transformado, com tanta arte, em "D".

— Ela só queria a minha cerzideira! — queixou-se Délio, arrasado.

Em condições iguais, Délio não fugiria de uma disputa com Davi por Leinha e os pijamas de seda. Mas era preciso haver um mínimo de lealdade. Tudo às claras, na cara, e que vencesse o pior.

O marido do Dr. Pompeu

Ninguém estranhou quando, depois de 25 anos de casamento, filhos criados, a mulher do Dr. Pompeu pediu o divórcio. As razões dela eram normais para a época: não queria mais ser apenas uma dona de casa. Queria viver sua própria vida, estudar psicologia, ter sua própria carreira. Tudo bem. O escândalo, para mostrar como ainda existem preconceitos, foi quando souberam que o Dr. Pompeu, em vez de outra mulher, arranjara um marido.

— Quem diria, hein? O Pompeu.

A própria mulher foi pedir satisfações.

— Pompeu, você enlouqueceu?

— Por quê?

— Todos estes anos, eu nunca desconfiei que você fosse... desses.

— Desses o quê?

— Você sabe muito bem. Um...

A mulher se calou porque nesse exato momento chegou em casa o marido do Dr. Pompeu. Um homem apenas um pouco mais velho do que ele, grisalho, ar respeitável. Um empresário de muito conceito.

— Alô... — disse o marido do Dr. Pompeu, um pouco constrangido.

— Oi! — disse o Dr. Pompeu, alegremente.

— Boa-tarde — disse a mulher, seca.

O marido do Dr. Pompeu foi tomar seu banho, ouvindo a promessa do Dr. Pompeu de que o jantar estaria na mesa num instantinho. Quando a mulher ia recomeçar a falar, o Dr. Pompeu a deteve com um gesto.

— Não é nada do que você está pensando — disse.

— Que eu estou pensando, não, Pompeu. Que todo mundo está pensando.

— Nós temos um acordo. Eu cuido da casa para ele, supervisiono o trabalho das empregadas, faço as compras, faço tudo para que ele tenha uma vida doméstica organizada e feliz. Em troca, ele me sustenta. Não temos nenhum contato sexual porque nenhum de nós é, como você disse com tanta eloqüência, desses.

— Mas Pompeu...

— Eu não tenho do que me queixar. Meu padrão de vida melhorou. Ele me dá dinheiro para tudo de que eu preciso. Inclusive, aliás, para pagar a sua pensão. E hoje eu posso fazer o que sempre sonhei. Não trabalho, não me preocupo com as contas, com a segurança da família, com todas essas coisas de homem. E o melhor: quando tenho que descrever minha profissão, posso botar "Do lar".

— Mas Pompeu!

— E agora me dá licença que preciso tratar do nosso jantar. Depois do jantar ele vê o *Jornal Nacional* e eu fico esperando a hora da minha novela. Passe bem.

Aqueles tempos

No meio da conversa, ela disse: "Eu gostava do Lacerda." Ele ficou quieto, mas quem prestasse atenção notaria que suas pupilas chegaram a dilatar. E ele quase se engasgou com o gelo. Só quando já estavam no carro, voltando para casa, ele disse:

— Que história é essa de "eu gostava do Lacerda"?

— Gostava, uai.

— Cicinha, nós fizemos comício contra o Lacerda.

— E daí?

— Eu me lembro de você gritando "Corvo! Corvo!".

— Para agradar a você.

Ele quase perdeu a direção do carro. Ela teve que gritar:

— Almiro!

Ele só conseguiu falar de novo dentro do quarto, quando ela saiu do banheiro depois de escovar os dentes e perguntou se ele tinha alimentado o gato. Ele disse:

— Não muda de assunto.

— Almiro, eu não entendo por que você ficou desse jeito só porque eu...

— Não entende? Não entende? Você se dá conta da revelação que me fez esta noite? Do significado da sua confissão, da sua duplicidade, da sua...

— Almiro, faz 40 anos!

— Exatamente! Durante 40 anos vivi com uma mulher que eu não conheço. Que só fui conhecer agora. Há 40 anos durmo com uma estranha. Durmo com o inimigo!

— Você quer...

Mas o Almiro já tinha dado as costas. Ia dormir na sala.

No dia seguinte, a filha mais velha foi convocada. Sua missão: dissuadir o pai de sair de casa e pedir o divórcio. Não tinham adiantado os argumentos da mãe, de que sua duplicidade confessada era, na verdade, uma prova de amor, pois disfarçara sua admiração pelo Lacerda para ficar com ele, sacrificara todas as suas convicções por um casamento feliz. E era um casamento feliz. Tinham filhos maravilhosos, netos maravilhosos, uma vida organizada, um gato que os amava... Se ele quisesse, ela renunciaria à sua admiração pelo Lacerda. Se ele quisesse, iria até a janela e gritaria "Corvo! Corvo!" para o céu. "Pensa no que você vai destruir, Almiro!" Ele só pediu à filha, que era advogada, que recomendasse alguém para cuidar do divórcio. Não falava com traidores.

Em casa, a filha comentou com o marido:

— Coisa forte aqueles tempos, né?

O marido só conhecia aqueles tempos de ouvir contar, mas concordou. Muito forte.

Convenções

A classe média é uma terra estranha.

A Mirtes não se agüentou e contou para a Lurdes:

— Viram teu marido entrando num motel.

A Lurdes abriu a boca e arregalou os olhos. Ficou assim, uma estátua do espanto, durante um minuto, um minuto e meio. Depois pediu detalhes. Quando? Onde? Com quem?

— Ontem. No Discretissimu's.

— Com quem? Com quem?

— Isso eu não sei.

— Mas como? Era alta? Magra? Loira? Puxava de uma perna?

— Não sei, Lu.

— O Carlos Alberto me paga. Ah, me paga.

Quando o Carlos Alberto chegou em casa, a Lurdes anunciou que iria deixá-lo. E contou por quê.

— Mas que história é essa, Lurdes? Você sabe quem era a mulher que estava comigo no motel. Era você.

— Pois é. Maldita hora em que eu aceitei ir. Discretissimu's! Toda a cidade ficou sabendo. Ainda bem que não me identificaram.

— Pois então?

— Pois então que eu tenho que deixar você. Não vê? É o que todas as minhas amigas esperam que eu faça. Não sou mulher de ser enganada pelo marido e não reagir.

— Mas você não foi enganada. Quem estava comigo era você!

— Mas elas não sabem disso!

— Eu não acredito, Lurdes. Você vai desmanchar nosso casamento por isso? Por uma convenção?

— Vou.

Mais tarde, quando a Lurdes estava saindo de casa, com as malas, o Carlos Alberto a interceptou. Estava sombrio.

— Acabo de receber um telefonema — disse. — Era o Dico.

— O que ele queria?

— Fez mil rodeios, mas acabou me contando. Disse que, como meu amigo, tinha que contar.

— O quê?

— Você foi vista saindo do motel Discretissimu's ontem, com um homem.

— O homem era você.

— Eu sei, mas eu não fui identificado.

— Você não disse que era você?

— O quê? Para que os meus amigos pensem que eu vou a motel com a minha própria mulher?

— E então?

— Desculpe, Lurdes, mas...

— O quê?

— Vou ter que te dar um tiro.

* * *

O Dado, 16 anos, informou ao Caco, 15, e ao Marcelinho, 14: "É hoje." Os pais dele iam passar o fim de semana fora. A casa estaria livre. As condições eram perfeitas. "Oba!", disse o Caco, esfregando as mãos. O Marcelinho ficou mudo.

Já tinham escolhido o anúncio: "Samantha — Massagem para executivos. Atende a domicílio." O Dado telefonou. Afinal, era o dono da casa. Enquanto ele telefonava, o Marcelinho falou para o Caco:

— Será que não vai dar galho?

— Que galho pode dar?

Dado desligou o telefone.

— Ela vem! Às dez.

— Como era a voz dela? Como era a voz? — quis saber o Caco.

— Tipo Ana Paula Arósio.

— Ai.

— Ela não desconfiou? — perguntou o Marcelinho.

— Do quê?

— De que nós não somos executivos?

Dado e Caco deram uma gargalhada e foram investigar o estoque de bebidas da casa. Marcelinho anunciou: "Vou dar um pulo até em casa." E saiu correndo pela porta.

— Rá! — disse o Dado. — Esse não volta mais.

— Eu sabia. Estava todo nervosão.

Às cinco para as dez, a campainha da porta tocou.

— É ela!

Mas não era a Samantha. Era o Marcelinho. De terno e gravata.

— Pra que isso?

— Sei lá. Por via das dúvidas.

E ficou sentado numa poltrona, muito sério, esperando a Samantha.

Cuecas

Giselda confidenciou a Martô, sua melhor amiga, que nada no noticiário recente a abalara mais do que a volta à moda da cueca samba-canção.

— Não sei se você entende — disse Giselda.

— Eu entendo — disse Martô.

— O Júlio usa cueca samba-canção — disse Giselda.

— Eu sei — disse Martô.

— E isso me dava uma certa segurança. Entende?

Martô entendia. Era o fim da tarde. As duas tinham tirado os sapatos e estavam com os pés sobre a mesinha de centro, na sala da Giselda. Jovens senhoras.

— Bobagem, claro — disse Giselda. — Mas, entende?

— Perfeitamente — disse Martô.

— Eram, assim, como um símbolo. As cuecas do Júlio. De estabilidade. De bom senso. Até de uma certa resignação diante da vida. Mas no bom sentido.

— Claro.

— Imagina se um dia ele me aparece de Zorba. De sunga. Colorida! Sinal de quê?

— Outra.

— Isso. Ou outras.

— Podes crer.

— Mas não. Ele insistia nas cuecas samba-canção. Até tinha horror a novas. Queria sempre as mesmas. Rasgadas, não importava. Você podia desconfiar de alguma coisa de um homem assim? Vou dizer uma coisa. Cueca é caráter.

— Quem vê cueca vê coração.

— Você acha que eu estou brincando?

— O que é isso? Eu estou concordando com você.

— Eu insistia para ele trocar de cuecas. Mas no fundo, no fundo, gostava que ele fosse assim. E agora isso...

— O quê?

— As cuecas samba-canção na moda de novo. Entende?

— Anrã.

— Ele não vai mais ter vergonha de tirar as calças na frente de outra.

— Ou outras.

— Ou outras. Pode até dizer que não tem culpa. Não foi ele que mudou, foi a moda. Continua o mesmo homem sério e conservador. Não foi ele que resolveu sair para a vida, a vida é que veio atrás dele. Vou ter que ficar de olho. Agora sim. Olho vivo. Ou eu estou exagerando?

— Não, não.

Depois que Martô saiu, Giselda foi tratar do jantar das crianças e do Júlio. Só horas mais tarde, vendo o filme na TV com o Júlio roncando ao seu lado, repassando a conversa daquela tarde, é que se deu conta. Telefonou para a Martô.

— Martô?
— O que é, Gi?
— Quando eu disse que o Júlio só usa cueca samba-canção...
— Sim?
— O que é que você quis dizer com “eu sei”?!

Quindins

Quando sentiu que ia morrer, o Dr. Ariosto pediu para falar a sós com a mulher, dona Quiléia (Quequé).

— Senta aí, Quequé.

Ela sentou na beira da cama. Protestou, chorosa, quando o marido disse que sabia que estava no fim. Mas o Dr. Ariosto a acalmou. Os dois sabiam que ele tinha pouco tempo de vida e era melhor que enfrentassem a situação sem drama. Precisava contar uma coisa à mulher. Para morrer em paz. Contou, então, que tinha outra família.

— O quê, Ariosto?!

Tinha. Pronto. Outra mulher, outros filhos, até outros netos. A dona Quiléia iria saber de qualquer maneira, pois ele incluíra a outra família no seu testamento. Mas tinha decidido contar ele mesmo. De viva, por assim dizer, voz. Para que não ficasse aquela mentira entre eles. E para que dona Quiléia fosse tolerante com a sua memória e com a outra. Promete, Quequé? Dona Quiléia chorava muito. Só pôde fazer "sim" com a cabeça. Aliviado, o Dr. Ariosto deixou a cabeça cair no travesseiro. Podia morrer em paz.

Mas aconteceu o seguinte: não morreu. Teve uma melhora surpreendente, que os médicos não souberam explicar e que dona Quiléia atribui à promessa que fizera a seu santo. Em poucas semanas, estava fora da cama. Ainda precisa de cuidados, é claro. Dona Quiléia tem que regular sua alimentação, dar remédio na hora certa... Ficam os dois sentados na sala, olhando a televisão, em silêncio. Um silêncio constrangido. O Dr. Ariosto arrependido de ter feito a confissão. A dona Quiléia achando que não fica bem se aproveitar de uma revelação que o homem fez, afinal, no seu leito de morte. Simplesmente não tocam no assunto. No outro dia o Dr. Ariosto teve permissão do médico para sair, pela primeira vez, de casa. Arrumou-se. Pediu para chamarem um táxi.

— Quer que eu vá com você? — perguntou a mulher.

— Não precisa.

— Você demora?

— Não, não. Vou só...

Não completou a frase. Ficaram mais alguns instantes na porta, em silêncio. Depois ele disse:

— Bom. Tchau.

— Tchau.

Agora, tem uma coisa: dona Quiléia não pagou a promessa ao santo. Ainda compra quindins escondido e os come sozinha. Aliás, deu para comer quindões. Grandes, enormes, translúcidos quindões.

O rival

Cláudia amava Carlos, mas não amava Carlos sobre todas as coisas. Carlos tinha um rival. Carlos um dia queixou-se para Cláudia que assim não era possível. Que se continuasse assim, era melhor pararem. Que ele não agüentava a atenção que Cláudia dava ao rival, muito maior do que a que dava a ele. Cláudia ficou de boca aberta. Que rival?

É preciso dizer que, mesmo de boca aberta, Cláudia era linda. Que Cláudia, além do rosto perfeito, tinha um corpo... não vou dizer "escultural". Depois dos gregos, "escultural" virou um adjetivo discutível. Se eu escrever "escultural", o leitor pode pensar numa escultura do Giacometti e imaginar que Cláudia era magra e comprida e derramada como uma vela de andor. Ou no Henry Moore, e pensar que Cláudia tinha um buraco no meio. Não, Cláudia tinha um corpo tão bonito quanto o rosto, e o que fazia o rosto ainda mais bonito era o cabelo loiro, o vasto cabelo que escorria copiosamente, borbotante, pelos lados do rosto, e que Cláudia estava sempre ajeitando, tocando, sacudindo, desfiando, juntando atrás e prendendo com um elástico e em seguida soltando, e sacudindo outra vez, e desviando para trás da orelha, e apalpando, e desfiando, e enrolando no topo da cabeça, e deixando cair, e cuidando no espelho, e sacudindo, e tocando, e ajeitando, e...

Era este o rival do Carlos. O cabelo da Cláudia. Cláudia amava seu cabelo mais do que amava Carlos. Cláudia amava seu cabelo sobre todas as coisas.

— Que rival, Cacá?

E Carlos desabafou. Disse tudo o que queria dizer. Confessou a Cláudia que tinha ciúmes dos seus cabelos. Sim, ela era carinhosa com ele. Chamava-o de Cacá e, nos momentos mais íntimos, de Caquinho. Sim, mordia a sua orelha, inclusive em público. Mas não lhe dava metade da atenção que dava aos cabelos.

Cláudia começou a rir.

— Que bobagem, Cacá! Ciúmes dos meus cabelos!

Mas ficou séria quando viu que Carlos estava decidido. Era melhor terminarem, disse Carlos. E disse que ela nem se dava conta do cuidado constante que dedicava ao cabelo, dos seus repetidos gestos de amor com o cabelo, do prazer sensual que obviamente tinha em manusear o cabelo, e de como isso o aborrecia. E disse:

— Viu só? Viu só?

Pois, durante todo o tempo em que Carlos despejara suas mágoas e suas queixas contra o rival, Cláudia não parara de se olhar no espelho, e apalpar o cabelo, e passar os dedos pelos seus fios, e sacudi-lo, e ajeitá-lo, e...

Dias depois de brigarem, Carlos encontrou Cláudia com o mesmo cabelo e outro namorado. Chamado Paulo Artur. Perguntou ao Paulo Artur como ele conseguia conviver com Cláudia e o seu amor pelo cabelo. "Com humildade", disse Paulo Artur. E ficaram, os dois, olhando para o cabelo que Cláudia atirava de um lado para o outro, e apalpava, e desfiava, e sacudia... Tinham que reconhecer. O cabelo era muito mais bonito e interessante do que eles.

João e Maria

Esta é uma daquelas histórias que as pessoas juram que aconteceram, não faz muito, com um amigo delas. Há anos você ouve a mesma história, sempre com a garantia de que aconteceu mesmo. Há pouco, com um amigo. Nesta versão o amigo se chama João e a mulher se chama Maria, para simplificar.

O João começou a desconfiar das constantes conversas da Maria com o José, amigo do casal. Volta e meia o João pegava a Maria e o Zé cochichando, e quando se aproximava deles, eles paravam.

— O que vocês dois tanto conversam?

— Nada.

Ou a Maria estava falando ao telefone e, quando o João chegava, dizia "Não posso agora" e desligava.

— Quem era?

— Ninguém.

Não foi uma nem duas vezes. Durante semanas, o ninguém ligou muito. E um dia a Maria anunciou que precisava viajar. Sua vó

Nica. No interior. Muito mal. Nas últimas. Precisava vê-la. Iria na sexta de manhã e voltaria no domingo.

— Logo na sexta, Maria?

— Por quê? Que que tem na sexta?

— Nada.

João telefonou para a sogra e perguntou como ia a vó Nica.

— A mamãe? Deve estar bem. Foi com o grupo dela fazer compras no Paraguai.

Maria só levou uma pequena sacola na viagem. Claro, pensou João. Só o que iria precisar, no hotel em que se encontraria com o Zé para um fim de semana de amor. No fim da tarde, só para confirmar, João telefonou do seu escritório para o escritório do Zé. Não, o seu José não estava. Tinha saído cedo e avisado que não voltaria. Muito bem, pensou João. Muito bem. Era assim que ela queria? Pois muito bem. Ele se vingaria. Levaria uma mulher para casa. Sim, para casa. Uma mulher, não. Duas. Fariam um *manager a troi*, ou como quer que se chamasse aquilo — na cama do casal!

Na boate, já bêbado, João perguntou para as duas mulheres, Vanessa e Gisele:

— Sabem que dia é hoje?

— Fala, filhote — disse a Vanessa.

— O meu aniversário. E sabe que presente a minha mulher me deu?

— O quê? (Gisele)

— Cornos! E com o Zé. Com o Zé!

— Sempre tem um Zé — filosofou a Vanessa.

João desconfiara que uma das duas mulheres era um travesti, mas ao chegarem na casa, ele não se lembrava mais qual. Decretou que os três tirariam a roupa antes de entrar na casa. As mulheres toparam. Quando João conseguiu acertar o buraco da fechadura e abrir a porta, a

Gisele tinha pulado nas suas costas e se pendurado no seu pescoço, e a Vanessa tentava pegar o seu pênis, e era assim que eles estavam quando as luzes da casa se acenderam e todos que estavam lá para a festa de aniversário que a Maria e o José tinham passado semanas planejando gritaram "Surpresa!".

A Legítima e a Outra

A Outra tanto fez que conseguiu entrar na UTI, onde encontrou a Legítima agarrada à mão dele. Deitado de barriga para cima, com tubos e fios saindo para todos os lados e conectando-o à aparelhagem em volta, ele parecia um avião recém-pousado depois de uma longa viagem. Um Boeing com as turbinas apagadas, mantido vivo pelo pessoal de terra.

— Querido! — gritou a Outra, procurando uma parte dele que também pudesse agarrar.

A Legítima nem piscou.

— O que você fez com ele? — exigiu a Outra.

A Legítima nada.

— Eu sabia que cedo ou tarde você o mataria! — acusou a Outra.

A Legítima, uma pedra.

— Só comigo ele tinha o carinho de que precisava. Você fez isso com ele! Você! Com sua frieza, com sua maldade, com sua...

Então a Legítima falou:

— Nós estávamos fazendo amor.

A Outra recuou como se tivesse levado um choque.

— Mentira!

A enfermeira fez "sssh", mas a Outra falou ainda mais alto.

— MENTIRA!

— Ele morreu nos meus braços — disse a Legítima no mesmo tom triunfal.

— Ele não está morto — corrigiu a enfermeira.

— Morreu nos meus braços, está ouvindo?

— Despeito! Despeito! Ele só fazia amor comigo.

— Sabe quais foram suas últimas palavras?

A Outra tapou os ouvidos.

— Eu não quero ouvir!

— Suas últimas palavras foram "Agora cruza!".

— Não!

— Sim! Sim! Nós estávamos fazendo o Alicate!

— NÃO!

Um médico apareceu e ameaçou retirar as duas de perto do paciente. Elas não lhe deram atenção. A Outra soluçava.

— Não. O Alicate não!

— Sim! Tudo o que ele fazia com você, ele fazia em casa. Experimentava em você para fazer comigo.

A Outra interrompeu os soluços para espiar por entre os dedos que tapavam seu rosto e perguntar, incrédula:

— A Borboleta também?

— A Borboleta, a Chinesa Assoviadora, o Baile dos Cossacos...

— NÃO!

— Sssshh!

— Tudo. Tudo! Você era um campo de provas. Eu era para valer. Com você era treino. Comigo era pelos pontos!

Então a Outra gritou uma palavra indecifrável e avançou num dos aparelhos que cercavam a cama, tentando arrancar os fios, até ser controlada pelo médico e a enfermeira e empurrada para fora do cubículo. Da porta a Outra ainda conseguiu gritar:

— O Salgueiro Despencado ele não fazia com você!

— Fazia! Fazia!

Perfilada ao lado da cama, a Legítima respirou fundo. Depois, sentou-se. Ia pegar a mão dele, mas recuou. Em vez disso, cochichou no seu ouvido.

— Joca?

Insistiu:

— Joca?

Depois:

— Como era o Salgueiro Despencado?

Depois:

— Seu safado. Como era o Salgueiro Despencado?

E o Boeing quieto.

A mulher do Silva

Foi um escândalo quando a frente da casa do Souza apareceu pintada, certa manhã, com uma frase sucinta sobre a, digamos assim, conduta moral da mulher do Silva, que morava em frente. O Silva, indignado, foi perguntar ao Souza:

— Quem foi?

— Não sei.

— Como, não sabe? A casa é sua.

— Não posso ficar na calçada cuidando pra não pintarem a fachada. Posso?

Não podia. Mas aquilo não ia ficar assim. Pior era que a frase nem citava a mulher do Silva pelo nome. Ela era identificada como "a mulher do Silva". E, para que não ficassem dúvidas: "...da frente".

— Apaga — pediu o Silva.

— Como?

— Com tinta branca. Pinta por cima.

— Mas a minha casa é amarela.

— Pinta de amarelo.

— Só uma faixa amarela? Vai ficar horrível.

— Então pinta a casa toda.

— E cadê o dinheiro?

— Eu exijo que você pinte a casa toda.

— Só se você me der o dinheiro.

— A casa é sua.

— Mas a mulher é sua.

Silva concordou. Pagou uma pintura completa da casa do Souza. Só reagiu quando o Souza sugeriu que ele pagasse também uma pintura interna, que estava precisando. O Silva pediu que o Souza não contasse para ninguém. Mas a notícia se espalhou pela vizinhança. E, não demorou muito, a casa do Moreira, que estava com a tinta descascando, apareceu com uma frase na frente sobre certos supostos hábitos da mulher do Silva. O Silva foi lá.

— Quem foi?

— Sei lá. Moleques.

— Apaga.

— Não sai.

— Pinta por cima.

— Só pintando a casa toda...

Quando saiu da casa do Moreira, depois de ter concordado em financiar uma pintura completa, o Silva viu que na frente da casa do Santos, ao lado, estava escrito:

"Dou fé." Já entrou direto na casa do Santos para combinar o preço.

O quarteirão até ficou bonito, com as casas pintadas de novo. Algumas casas, é claro, ainda têm a pintura antiga. E todas as manhãs o Silva as examina, prevendo o pior. Se bem que, segundo alguns, ele também devia vigiar a sua mulher.

Rosamaria

Maria Alice precisou conversar com o ex-marido, Raimundo, que todos chamavam de Raimundão. Problemas com o filho de ambos, o Raimundinho. Foi procurá-lo em seu apartamento. Entrou no elevador com outra mulher, uma loira que carregava uma mala.

— Qual é o seu andar? — perguntou a loira.

— O sétimo — disse Maria Alice.

— É o meu também — disse a loira, apertando o botão.

Quando chegaram ao sétimo, Maria Alice desceu do elevador e olhou em volta, tentando se orientar. A loira perguntou:

— Que número você procura?

— O 706.

— É o meu também — disse a loira, e foi na frente.

A loira tocou a campainha do 706 e as duas ficaram esperando.

— Quem você está procurando? — perguntou a loira.

— O meu marido — disse Maria Alice.

A porta se abriu e apareceu o Raimundão enrolado numa toalha e molhado.

— É o meu também — disse a loira, passando pelo Raimundão e entrando no apartamento.

— O que você está fazendo aqui? — perguntou Raimundo à ex-mulher.

— Preciso conversar com você sobre o...

Mas o Raimundão já tinha desaparecido para dentro do apartamento, seguindo a loira. Maria Alice entrou atrás dele.

— Odete, não entre no banheiro! — disse Raimundão para a loira, que já estava com a mão na maçaneta.

— Por quê?

— Eu acabei de tomar banho e está uma grande bagunça aí dentro.

Odete colou o ouvido na porta.

— Tem barulho de água. Ou você esqueceu de desligar o chuveiro ou a grande bagunça ainda está tomando banho.

— Raimundo — disse Maria Alice —, nós precisamos conversar sobre o...

— Você está insinuando — disse Raimundo para Odete — que tem uma Rosamaria, ahn, uma mulher aí dentro?

— Rosamaria — disse Odete. — A grande bagunça se chama Rosamaria. Muito bem.

— Raimundo... — insistiu Maria Alice.

— Só um pouquinho — disse Raimundo a Maria Alice. E para Odete: — Está bem, tem uma mulher aí dentro. Mas não é o que você está pensando.

— Sei. Vocês são apenas bons amigos. Tão amigos que tomam banho juntos.

— Raimundo, você precisa ter uma conversa com o Raimundinho.

— Que Raimundinho?

— Seu filho!

Mas a atenção de Raimundão estava em Odete, que agora batia na porta do banheiro e gritava:

— Rosamaria, querida. Quer dar um pulinho aqui fora?

— O Raimundinho... — tentou continuar Maria Alice, mas Odete a interrompeu.

— Dá licença? Primeiro vamos resolver a minha crise conjugal, depois você cuida dos seus problemas familiares. Acabo de descobrir que meu marido tem outra mulher e que ele estava no banho com ela. Acho que tenho prioridade.

— Não é outra mulher — disse Maria Alice. — É a mesma.

— Como, a mesma?

— Ele é amante da Rosamaria há anos. Já era antes de nos casarmos.

— Você sabia? — perguntou Raimundão.

— Ora, Raimundo. Eu não sou boba.

— Não — disse Odete. — A boba sou eu. Vou visitar a minha mãe, volto um dia antes porque não agüentava de saudade e encontro uma Rosamaria no meu banheiro.

— Minha filha — disse Maria Alice —, mulher que volta um dia antes está pedindo para encontrar o marido com uma Rosamaria. O segredo de um bom casamento é: nunca voltar um dia antes.

— Exatamente — concordou Raimundão.

— Seu, seu... — começou Odete.

— Crápula — assoprou Maria Alice.

— Crápula! Seu, seu...

— Cínico — sugeriu Maria Alice.

— Cínico! Vou embora e não volto mais. Fique com sua Rosamaria e com essa, essa... ex-mulher!

E Odete pegou sua mala e saiu porta afora.

— Pronto — suspirou Raimundão. — Lá se vai outra. A culpa é minha, Maria Alice? Diz com sinceridade. A culpa é minha?

— Não, Raimundão. A culpa é nossa. Nós não entendemos você. Voltamos um dia antes, fazemos de tudo para atrapalhar sua vida. A única que entende você é a Rosamaria. Aliás, nunca entendi por que você não casou com a Rosamaria.

— Tá doida? E estragar um relacionamento perfeito?

— Podemos falar sobre o Raimundinho?

Mas Raimundão estava tirando a toalha e entrando no banheiro.

— Espera aí — disse ele. — Ainda não terminei meu banho.

Carpaccio

Cláudio e Luiza, Antônio e Marina eram amigos há muito tempo, mas um casal nunca tinha jantado na casa do outro, apesar dos repetidos avisos de Luiza de que Cláudio era muito bom na cozinha. Ficavam naquela:

— Temos que combinar um jantar!

E o jantar nunca saía. Até que um dia saiu. E durante muito tempo depois, cada um se referiria ao jantar da mesma maneira, sem combinar. Como "O Desastre".

Começou bem. Depois dos drinques, foram para a mesa e o Cláudio desapareceu na cozinha. A Luiza gritou:

— Precisa de ajuda, amor?

E o Cláudio, em *off*:

— Não!

— Deve ser bom ter um marido assim — disse Marina. — O Antônio só entra na cozinha por engano.

— Às vezes confundo com o banheiro — confirmou Antônio. — Faço xixi na pia, é um horror.

— O Cláudio, se está na cozinha, está feliz. Este jantar ele vem planejando há uma semana. Olha aí, imprimiu até um cardápio no computador.

Antônio leu o papel que estava ao lado do seu prato.

— *Carpacciô de poisson à l'huile d'olive aux herbes*. Puxa, só de dizer isso, já estou alimentado.

— E isso é só para começar — disse Marina, lendo também. — Depois tem, como é mesmo? *Côte de veau, purée aux pommes de terre persilé.*

— Não entendi nada e já gostei.

A cabeça de Cláudio apareceu na porta que dava para a cozinha.

— Uma fanfarra. Quero uma fanfarra!

Todos na mesa obedeceram, mais ou menos em uníssono.

— Tá-tarará.

Cláudio entrou carregando uma bandeja. Anunciou:

— A entrada. *Les entrées froides*. Aplausos só no final, por favor.

— Que beleza — disse Antônio, olhando o prato posto à sua frente com desconfiança. — Sabe o que isto parece? Vocês vão me chamar de louco. Mas parece peixe cru.

— É peixe cru, Antônio — disse Marina com uma certa impaciência. — *Carpaccio* de peixe.

— Certo. Claro. Peixe cru. E isto aqui deve ser a cólera. Ah, não, são as ervas. Muito bem. Coragem. Vamos lá.

Cláudio estava tirando uma garrafa de vinho do balde que colocara ao lado da sua cadeira.

— O vinho, pessoal. Um interessante branco do sul, algo frutuoso, um pouco reticente, mas digno.

— Mmmm — disse Marina, comendo o peixe. — Maravilha, Cláudio. Luiza, quanto você quer por esse marido? Dou o meu e mais uma quantia em dinheiro.

— Nada disso — disse Antônio. — *Eu* vou casar com o Cláudio.

Luiza:

— Essa eu queria ver.

— Seríamos o casal perfeito, hein, Cláudio? Você também lava camisas?

— E o sexo? Como seria o sexo entre vocês? — quis saber Marina.

— Quem precisa de sexo quando pode ter peixe cru todas as noites? — respondeu Antônio.

— Pensando bem — disse Luiza —, sexo com o Cláudio se parece um pouco com *carpaccio*.

Fez-se um silêncio e ficou aquele clima na mesa. Até que a Marina riu e falou:

— Vai dizer que vocês usam azeite, alcaparras e queijo ralado na cama?!

— Já se interessou, não é, bem? — disse Antônio. — Variedade é com você.

Novo silêncio. Depois Marina, séria:

— Desenvolve, Antônio.

— É o que eu ouço dizer por aí.

— Olha aqui, Antônio...

— Um brinde, gente — interrompeu Cláudio, levantando seu copo.

— À amizade.

Marina levantou o seu copo e disse:

— À lealdade!

— Eu sabia — disse Antônio — que cedo ou tarde você ia botar a Cecilinha na conversa.

— Eu falei em Cecilinha? Alguém aqui falou em Cecilinha?

— Gente... — tentou Cláudio.

Mas Antônio estava de pé, erguendo seu copo dramaticamente.

— À lealdade, sim! À lealdade a mim mesmo e aos meus sentimentos. À paixão, à juventude e à vida!

— Cretino! — gritou Marina, atirando o vinho na cara de Antônio e correndo para a sala, com a Luiza atrás.

Antônio se desculpou com Cláudio, disse que o peixe cru estava ótimo, mas ele não podia mais ficar ali.

— Mas ainda falta a vitela. O rocambole.

Marina também se desculpou, recusou a ajuda de Luiza e disse que chegaria em casa sozinha, e saiu, apesar do pedido de Cláudio:

— Experimenta ao menos o rocambole!

Mais tarde, Cláudio disse a Luiza:

— Aquilo que você falou sobre sexo comigo ser parecido com *carpaccio*...

— Que que tem?

— Desenvolve.

Os quatro nunca mais se viram, a não ser para tratar dos papéis.

As noivas do Grajaú

Acho que todos deviam ter uma noiva no Grajaú, principalmente os homens casados. Antes que me acusem de incentivar o adultério e a licenciosidade suburbana, esclareço que minha noiva do Grajaú é puramente teórica. E note que falo em noiva, não em amante. As noivas do Grajaú são castas e recatadas. Só deixam pegar na mão e assim mesmo com recomendação! Aquele montinho de carne na base do dedão, por exemplo, só depois de casados.

Você leva duas semanas para encostar, não na noiva do Grajaú, mas no portão da sua casa. Se tocar no seu cotovelo, soa um alarme dentro da casa e o irmão dela, ex-pára-quedista, vem ver o que está acontecendo. Um homem casado que tem uma noiva no Grajaú é mais fiel à sua mulher do que a sua mulher merece. É quase indispensável para a felicidade de um casamento que o marido tenha uma noiva no Grajaú e a visite diariamente das cinco às seis. Menos às quintas, quando ela tem aula de piano.

Como explicar o fascínio das noivas do Grajaú? Não haverá, na sua relação com ela, qualquer promessa sexual. Com sorte, depois de um ano e meio de noivado firme, você morderá a sua orelha. E ela pedirá que você nunca mais faça isso porque ela sente muitas cócegas, e, olha aí, quase perdeu um brinco. Um dia, quando conseguir convencer o ex-pára-quedista a deixá-la ir com você até o bar da praça tomar uma Coca, você conseguirá intrometer uma mão nervosa entre o seu braço nu e a blusa até quase em cima, mas aí ela apertará o braço contra o corpo com força e você temerá a gangrena nos dedos.

E a conversa? A coisa mais íntima que ela perguntará a você será:

— Acompanhas alguma novela?

Você experimentará com assuntos mais conseqüentes.

— És ciumenta?

Ou, afoitamente:

— Qual é teu sabonete?

Mas ela repelirá todas as tentativas de uma conversa séria. Até rirá quando você tentar ser poético, pomba!

— Esta hora, este crepúsculo, sei lá...

Ela se dobrará de tanto rir. E a mãe dela aparecerá na janela para ver se você não avançou na orelha outra vez.

A vigilância é constante. O pai dela — aposentado, espiritualista — usa um coldre preso à cinta. O coldre está vazio, mas o seu tamanho é eloqüente: em algum lugar está guardada a grande arma com que ele zela pelo seu patrimônio, incluindo a virgindade da filha e uma coleção encadernada de Malba Tahan. Na única vez em que conversar com ele, você ficará sabendo que ele já expeliu 17 pedras pela uretra e foi militante da UDN. Cuidado. A mãe tem bigode. Seus olhos pretos na janela são como dois faróis que guiam a virtude do Grajaú para a cama, intacta, todas as noites.

— Tua mãe não vê novela?

— Só a das oito.

— Não tem o que fazer na cozinha?

— Temos empregada.

— Ela não...

Mas a mãe interrompe:

— Olha esses cochichos, olha esses cochichos...

As noivas do Grajaú têm um irmão menor que se diverte tentando chutar você nas canelas. Um dia ele erra, acerta o muro e vai correndo dizer para a mãe que você lhe bateu.

É uma provação noivar no Grajaú. Por que você insiste?

As noivas do Grajaú têm amigas que passam em bandos pela calçada de braços dados e rindo, você não tem a menor dúvida, de você.

É demais. Você não precisa disso. O casamento está fora de questão. Você já é casado. Ou tem outra noiva em algum bairro onde a vigilância é menor e o acesso é mais fácil. Mas você persiste. O fascínio é irresistível. Às seis em ponto, a mãe dela acende a luz do alpendre. É o sinal para você ir embora. Você jura que nunca mais volta. Mas aí ela cospe fora o chiclete e pergunta:

— Amanhã você vem?

E você vai.

Encontros e Desencontros

!

Mike Magui

O Paulo e a Dé tinham convidado a Lana e o Antônio para jantarem na casa deles e depois assistirem ao que o Paulo chamara de "um pornozinho" no videocassete. O Antônio foi contrafeito, embora a Lana não visse nada de mal.

— Não vejo nada de mal, ué.

— Pô, Lá!

— Qual é o problema?

— Sei lá — dissera o Antônio, que não queria estragar o prazer de ninguém, mas puxa!

Mal conheciam o Paulo e a Dé. Acabara concordando mas com uma condição.

— Se for alguma coisa com anão e cabrito, eu levanto e vou embora!

Quando colocou o cassete no aparelho, o Paulo piscou um olho e disse: "Este é com o Mike Magui."

— Ah, o Mike Magui — disse o Antônio, como se soubesse quem era.

— Ele é bom, é? — quis saber a Lana.

— Espera só — disse o Paulo.

E a Dé reforçou:

— Espera só.

No carro, voltando para casa, a Lana estava silenciosa. O Antônio já falara mal da comida ("*Strogonoff*, com esse calor"), falara mal do Paulo ("Recorta artigo do Sarney, você viu?"), falara mal até do cachorro ("Antipático") e a Lana nada, pensativa. Finalmente o Antônio disse:

— E o Mike Magui, hein?

E a Lana:

— Que coisa, né?

O Antônio olhou para a mulher com o rabo do olho.

— Você sabe que aquilo pode ser truque, não sabe?

— Como, truque?

— Truque. Maquiagem. De borracha.

— Acho que não era não.

— E o cara é um imbecil. Vamos e venhamos. Tem cara de abobado. Você não achou?

— Até que não.

— Pelo amor de Deus, Lá. Já imaginou um cara desses... um cara desses...

— O quê?

O Antônio procurava o que dizer. Finalmente disse:

— Lendo Rilke?

A Lana fez um ruído de desdém.

— Não sei o que ler Rilke adiantou para certas pessoas...

Eu sabia que nós não devíamos ter ido, pensou o Antônio.

Trinta anos

Encontraram-se, 30 anos depois, numa festa. Ela sorriu e disse: "Como vai?".

— Vocês já se conhecem? — perguntou a dona da casa.

Ele não disse: "Nos conhecemos. No sentido bíblico, inclusive. Foi o amor da minha vida. Quase me matei por ela. Sou capaz de morrer agora. Ah, vida, vida."

Disse:

— Já.

— Faz horas, né? — disse ela.

Ele sentou-se ao lado dela. Estava emocionado. Mal conseguia dizer:

— Trinta anos...

— Xiii! Nem fala. Estou me sentindo uma velha.

E acrescentou:

— Caquética.

Curioso. Ela engordara, claro. Tinha rugas. Mas o que realmente mudara fora a sua voz. Ou será que ela sempre tivera aquela voz estridente? Impossível. Ele se lembrava de tudo dela. Tudo. O amor da sua vida. Ela agora lhe cutucava o braço.

— Tu tá um broto, hein?

— Que fim você levou? Quer dizer...

— Nem me fala, meu filho. Sabe que eu já sou avó?

— Não!

Ele não conseguira esconder o horror na sua voz. Mas ela tomou como um elogio. Gritou "Haroldo!", chamando o marido, que veio sorrindo. Ela apresentou: "Este aqui é um velho amigo...". Mas não disse o nome. Meu Deus, ela esqueceu o meu nome! Ela instruiu o marido:

— Mostra o retrato do Gustavinho.

E para ele:

— Tu vai ver que mimo de neto.

O Haroldo pegou a carteira. Ela esqueceu o meu nome. E eu me lembro de tudo! A cicatriz do apêndice. O apartamento em que se encontravam. "Vou te amar sempre, sempre!" Tudo!

O Haroldo tirou o retrato da carteira. Ele pegou o retrato. O Gustavinho olhava assustado para a câmera.

— Não é um amor? — perguntou ela.

Ele devolveu o retrato para o Haroldo. Disse:

— Não.

— Como, "não"?

— Não achei, pronto.

E saiu atrás de um uísque.

O primeiro homem

Apostaram. O primeiro homem que entrar por aquela porta. Depois a Helena pensou melhor. O primeiro homem, mas com algumas condições. Não podia ser conhecido delas. E não podia ser, assim, muito estranho.

— Define "estranho" — pediu a Laura.

— Estranho. Muito doido. Cabelão, argola no nariz, coisas assim.

Naquele exato momento, entrou no bar um com o cabelo espigado pintado de roxo e a Helena completou:

— Como aquele ali, por exemplo.

— E como é que você sabe que aquele ali não é um executivo excêntrico? Pode ser o melhor partido da cidade, disfarçado.

— Faça-me o favor, Laurinha.

— Está bom, cabelo roxo e argola, não.

— Sujo também não.

— Como a gente vai saber se ele é sujo ou não, daqui? Desta distância não se vê unha.

— Ah, é? Eu reconheço homem sujo de longe. Quem vê cara, vê cueca.

— Está bom. Sujo não. Que mais?

Helena fez um gesto, querendo dizer que aquelas eram as suas únicas exigências. O primeiro homem que entrasse pela porta do bar e não pertencesse a nenhuma das categorias citadas, ela...

— Olha lá — disse Laura.

O homem que entrara no bar era maduro, bem-vestido, razoavelmente bonito e parara logo após passar pela porta, como que dando tempo a Helena para examiná-lo bem.

— Laurinha do céu — disse Helena —, é ele. É ele!

— Então ataca.

— Eu vou casar com esse homem, Laura!

— Então vai.

— Já me sinto grávida. Eu já estou grávida desse homem, Laura!

— Então...

O homem acenou para uma mulher que o esperava numa mesa de fundo e dirigiu-se para lá. O homem e a mulher se beijaram.

— Não era ele... — disse Helena.

Depois entraram dois homens, mas de mãos dadas, depois um que elas já conheciam, depois um que a Helena garantiu que não trocava as meias havia uma semana, finalmente um que a Helena disse "É esse".

E atacou. A aposta era que em pouco tempo ela estaria casada com o primeiro homem que entrasse pela porta do bar. Fosse ele quem fosse, dentro dos parâmetros combinados. E Helena ganhou a aposta. Casou-se com Henrique (Riquinho), um bom homem, apesar da sua careca e de alguns hábitos que Helena só conheceria quando já estivessem casados, os mesmos hábitos que tinham provocado a briga feia dele com a namorada em frente ao bar, e a declaração da namorada de que nenhuma mulher com miolos casaria com um homem como ele, e a resposta dele: ah, é? Ah é? Pois ela ia ver. Entraria naquele bar e casaria com a primeira mulher que lhe desse bola.

Negar fogo

Negar fogo é humano. Antes de pensar em atirar-se pela janela, examine a situação. Certifique-se de que não existe uma causa psicossomática para o seu fracasso, como a política econômica do governo ou o fato de a sua mulher ou namorada ter aderido ao halterofilismo. Pode não ser culpa sua, ou do seu tecido eréctil. Lembre-se de que existem várias situações em que negar fogo não só é aceitável como até recomendável. Eis algumas:

- Vocês namoram há pouco tempo. É a primeira vez que vão para a cama. Você acaba de tirar a calcinha dela. Descobre que ela tem "Wando" tatuado numa nádega.
- Ela convidou você para o seu apartamento e o recebe completamente nua mas com um quepe da Gestapo na cabeça e uma coqueteleira de metal numa mão. Depois você descobre que não é uma coqueteleira, é um triturador portátil.
- Você introduziu sua mão sob a blusa dela e sente o mamilo quente crescer contra sua palma. Ela beija seu pescoço, depois

lambe atrás da sua orelha, finalmente encosta os lábios úmidos na sua orelha e diz:

— Gostas do Paulo Coelho?

- A porta do quarto se abre e uma senhora gorda de *chambre* entra arrastando os chinelos e diz:

  — Não parem, não parem, eu só vim pegar uma lixa no banheiro.
- Quando chega ao orgasmo, ela começa a bater nos seus rins com os calcanhares e a gritar os nomes dos faraós do Antigo Egito.
- Vocês decidiram transar num lugar diferente: na praia, sob as estrelas. Tiraram toda a roupa, correram pela beira do mar de mãos dadas sentindo a brisa salgada no corpo todo. Agora rolam às gargalhadas pela areia até caírem numa trincheira cheia de soldados camuflados e serem informados de que estão no meio de uma manobra militar, e é para não fazerem barulho senão vão denunciar sua posição ao inimigo, que observa tudo o que se passa na praia com binóculos infravermelhos.

Às vezes negar fogo tem as mesmas causas do motor afogado. Do motor que não funciona não por falta de combustível, mas por excesso. Isto é: você está tão a fim, tão a fim que não consegue. É um motivo perfeitamente respeitável que não deve afligir ninguém, embora seja o mais frustrante. Sua causa é o perfeccionismo. Você finalmente vai fazer amor com a mulher dos seus sonhos. Um ideal que você persegue há anos, ou alguma beldade famosa que por umas dessas dádivas da providência cruzou olhar com o seu e disse com o olhar que sim. E agora você está prestes a possuí-la. Tudo tem que ser perfeito. Esta é a transa com que você se consolará nos anos do seu declínio, quando sua única zona erógena será a memória. É a transa que você contará para os netos.

A mulher dos seus sonhos já está na cama. A cama é perfeita. A iluminação é perfeita. A temperatura é perfeita. A umidade relativa do ar, os índices médios da bolsa, a colocação do Botafogo no campeonato, tudo. Só falta uma coisa. Seu tecido eréctil está fazendo que não é com ele.

A mulher da cama pergunta por que você está assoviando. Você diz que é de contente. Ela pergunta por que você não vai para a cama. Você diz "você notou a vista daqui?", e dirige-se para a janela. Você se atira pela janela, para ganhar tempo.

O Murilinho

De tanto ouvir falar do Murilinho — que era um gênio, que era um chato, que era um crânio, que era um bobo —, a Ângela não se conteve. No dia em que foi apresentada a ele, exclamou:

— Então você é o Murilinho?

E ele, abrindo os braços:

— Alguém tem que ser.

Ângela decidiu que não era alguém que ela gostaria de conhecer.

Na primeira vez em que convidou o Murilinho para ir à sua casa (contra os conselhos de muitos, que diziam que ela ia se arrepender), a Ângela se arrependeu. Falava-se em idades e alguém perguntou ao Dr. Feitosa, um velho amigo da família que raramente os visitava e estava lá com a sua senhora:

— Dr. Feitosa, quando é que o senhor faz 69?

E o Murilinho, rapidamente, respondera por ele.

— Aos sábados!

E caíra na gargalhada, enquanto todos em volta congelavam. Depois que os convidados foram embora, o pai da Ângela pediu:

— Por favor, minha filha. Não traga mais esse moço aqui.

— Pode deixar, papai.

Ângela tinha decidido não só nunca mais convidar o Murilinho para a sua casa, como jamais vê-lo de novo.

Quando soube que a Ângela e o Murilinho estavam namorando, a turma se dividiu em dois campos. O dos que achavam que o Murilinho era brilhante, divertidíssimo, uma figura, e por isso mesmo a Ângela não o agüentaria por muito tempo, e o dos que achavam que o Murilinho era instável, complicadíssimo, um louco, e por isso a Ângela não o agüentaria por muito tempo. Mas a própria Ângela garantiu que as duas facções estavam erradas. O Murilinho mudara muito. Desde que começara o namoro, era outro homem. Normal. Pacato. Até o pai da Ângela concordara em recebê-lo outra vez em casa.

— Vocês vão ver. O Murilinho é outro.

Naquele exato momento, apareceu o Murilinho — vestido de mulher. Vestindo um tailleurzinho jeitoso, salto alto e um chapéu de aba larga. Quando recuperou a respiração, a Ângela gritou:

— Murilinho, o que é isso?!

— Eu sei. É o chapéu. Não se usa mais, não é?

A Ângela saiu correndo, aos prantos. Pronto. Acabara. O Murilinho, nunca mais.

Foi o próprio Murilinho quem insistiu numa festa de noivado. Não adiantou a Ângela dizer que ninguém mais casava, quanto mais noivava. O Murilinho queria tudo bem tradicional. Uma festa na casa da Ângela, com toda a família dela reunida, e os amigos da família, e toda a turma. Que foi à festa só para ver o que o Murilinho aprontaria desta vez. Mas o Murilinho estava sério. Com uma gravata sóbria, não a que todos conheciam, com a figura de mulher nua com penugem de verdade no púbis, que ele costumava usar em ocasiões formais. Passou todo o tempo conversando gravemente com o pai da Ângela e com os mais velhos, inclusive o Dr. Feitosa, só interrompendo a conversa para assoprar beijos carinhosos na direção da noiva. Quando pediu para fazer um discurso, Murilinho declarou que, apesar do que alguns poderiam pensar dele, era um homem à antiga, um homem convencional. Gostava dos velhos costumes e dos velhos valores, hoje tão esquecidos. Era tão antigo, disse, olhando para o pai da Ângela, que iria confessar uma coisa. Ele e Ângela ainda não tinham feito sexo. Dava para acreditar? O pai da Ângela sacudiu a cabeça, querendo dizer "estes jovens de hoje", mas continuou a sorrir. E então o Murilinho procurou Ângela com um olhar inquisidor e disse:

— A não ser que aquele negócio que a gente faz com o desentupidor de pia e o gato seja sexo, hein, Gê?

Grande confusão. O pai da Ângela tentou avançar no Murilinho e foi contido, mas a Ângela conseguiu acertá-lo com uma cadeira. A senhora do Dr. Feitosa teve que ser carregada para casa. O noivado foi desfeito e o casamento cancelado. E o Murilinho ameaçado de tudo se aparecesse outra vez na frente da Ângela.

Ao casamento, a família não foi. Foi a turma, antecipando que alguma o Murilinho faria. Sair dançando com o padre, alguma coisa assim. Mas, fora fingir que queria arrancar as roupas da Ângela ali mesmo no altar, depois da cerimônia, o Murilinho se comportou bem. Correu para pegar o buquê da noiva, mas tudo bem. E você acredita que vivem felizes até hoje? Bom. "Felizes" talvez não seja a palavra exata. "Feliz" nunca é a palavra exata num casamento. Mas continuam juntos. Como? A Ângela não ajuda. Quando perguntam para ela como é ser a mulher do Murilinho, ela dá de ombros e responde:

— Alguém tem que ser.

As time goes by

Conheci Rick Blaine em Paris, não faz muito. Ele tem uma espelunca perto da Madeleine que pega todos os americanos bêbados que o Harry's Bar expulsa. Está com 70 anos, mas não parece ter mais que 69. Os olhos empapuçados são os mesmos, mas o cabelo se foi e a barriga só parou de crescer porque não havia mais lugar atrás do balcão. A princípio ele negou que fosse Rick.

— Não conheço nenhum Rick.

— Está lá fora. Um letreiro enorme. Rick's Cafe Americain.

— Está? Faz anos que não vou lá fora. O que você quer?

— Um *bourbon*. E alguma coisa para comer.

Escolhi um sanduíche de uma longa lista e Rick gritou o pedido para um negrão na cozinha. Reconheci o negrão. Era o pianista do café do Rick em Casablanca. Perguntei por que ele não tocava mais piano.

— Sam? Porque só sabia uma música. A clientela não agüentava mais. Ele também faz sempre o mesmo sanduíche. Mas ninguém vem aqui pela comida.

Cantarolei um trecho de *As time goes by*. Perguntei:

— O que você faria se ela entrasse por aquela porta agora?

— Diria: "Um chazinho, vovó?". O passado não volta.

— Voltou uma vez. De todos os bares do mundo, ela tinha que escolher logo o seu, em Casablanca, para entrar.

— Não volta mais.

Mas ele olhou, rápido, quando a porta se abriu de repente. Era um americano que vinha pedir-lhe dinheiro para voltar aos Estados Unidos. Estava fugindo de Mitterrand. Rick o ignorou. Perguntou o que eu queria além do *bourbon* e do sanduíche de Sam, que estava péssimo.

— Sempre quis saber o que aconteceu depois que ela embarcou naquele avião com Victor Laszlo e você e o inspetor Louis se afastaram, desaparecendo no nevoeiro.

— Passei 40 anos no nevoeiro — respondeu ele. Obviamente, não estava disposto a contar muita coisa.

— Eu tenho uma tese.

Ele sorriu.

— Mais uma...

— Você foi o primeiro a se desencantar com as grandes causas. Você era o seu próprio território neutro. Victor Laszlo era o cara engajado. Deve ter morrido cedo e levado alguns outros idealistas com ele, pensando que estavam salvando o mundo para a democracia e os bons sentimentos. Você nunca teve ilusões sobre a humanidade. Era um cínico. Mas também era um romântico. Podia ter-se livrado de Laszlo e ficado com ela, mas preferiu o grande gesto e se igualar a Laszlo aos olhos dela. Por quê?

— Você se lembra do rosto dela naquele instante?

Eu me lembrava. Mesmo através do nevoeiro, eu me lembrava. Ele tinha razão. Por um rosto daqueles, a gente sacrifica até a falta de ideais.

A porta se abriu de novo e nós dois olhamos rápido. Mas era apenas outro bêbado.

Posto 5

Cena acre-doce de praia.

Alzira, 43 anos, funcionária pública graduada, bonita mesmo se não tivesse feito a plástica, divorciada, uma filha que mora com o pai, Posto 5, domingo de manhã, avista, vindo na sua direção entre os guarda-sóis e os argentinos, Rogério, de 22 anos. Seu coração pula no peito como se tivesse 19. Ela procura seus cigarros dentro da grande bolsa de praia — loção, lenço de papel, *O Globo*, meu Deus, ele está chegando perto! — para disfarçar seu alvoroço. Rogério pára entre ela e o mar e diz, meu Deus:

— Oi, Alzira.

Ela ainda não decidiu o que fazer, que cara usar, o que dizer. Seis meses e ele diz "Oi". Ela devia mandá-lo passear. Virar a cara. Chamá-lo de cafajeste e mal-agradecido. Tudo menos aquela vontade de abraçar as suas pernas e recebê-lo de volta.

— Como vai, Rogério?

— Legal, e você? Tá boazinha?

Ele agacha-se ao seu lado. Ela intensifica a busca dos cigarros. Calma, Alzira. Lembre-se do que você jurou. Nunca mais. Mesmo se ele voltasse de joelhos. Ele põe um joelho no chão. Toca o cabelo dela com a ponta dos dedos.

— Você parece ótima.

— Eu estou ótima.

— Então, ótimo.

— E você?

— Vai-se levando.

— Você tem um cigarro? Eu não encontro os...

— Você está fumando de novo?

Por sua causa, cafajeste. Cigarro, Valium e desespero. Só não me matei por causa da minha filha.

— Fumo pouco.

— Corta essa.

— Você não veio aqui para me dizer isso, foi?

— Você está magoada comigo.

— Por que magoada? Só o que você fez foi me deixar um dia, sem qualquer explicação, sem um telefonema, sem... Acontece todos os dias.

— Não tinha o que explicar.

— Esperei dois meses e dei as suas cuecas para o porteiro.

— Alzira...

Aquele sorriso. Calma, Alzira. Frieza. Não peça compaixão. Não peça nada. Se ele quiser voltar, imponha condições. Você está indo bem, Alzira. Ele se deu conta do que perdeu. Não diga nada. Deixe ele falar. Ele está falando.

— Você é uma pessoa muito importante pra mim.

— Sou?

— Nunca conheci ninguém como você.

— Sei.

— Verdade. Acho que com você, sei lá. Eu me transformei com você. Fiquei mais maduro. Foi um negócio muito sério. Profundo...

É o seu triunfo, Alzira. Saboreie.

— Acho que o que houve entre nós dois foi profundo demais para ser destruído. Entende? Eu estava errado. Não devia ter dado no pé como dei.

— Acontece.

— Não seja assim, Alzira.

— Assim, como?

— Você ficou magoada.

— Não fiquei. Foi bom e acabou. Pronto.

Agora ele vai dizer que não acabou. Que não precisa acabar. Ele está com os dois joelhos na areia. Ele vai implorar, Alzira. Ele diz:

— Tem uma pessoa que eu quero que você conheça.

Alzira, Alzira...

— Quem é?

— Ela está comigo. Posso trazer aqui?

— Traz, ora.

Ele ergue-se e corre para a beira do mar. São 11 horas. Alzira pensa em correr também. Para casa. Dar no pé. Está tonta. Procura os óculos escuros no bolsão. Encontra os cigarros mas não encontra os óculos, Rogério está voltando. Traz uma moça pela mão. Dezoito anos.

— Alzira, Silvia. Silvia, Alzira.

— Oi, Silvia.

— Como vai a senhora?

— A Silvia é minha noiva, Alzira.

— Opa. Noiva?

— Eu queria que você conhecesse.

— Ela é muito bonita.

— A Alzira é uma pessoa...

Ele vai dizer que você é quase uma mãe para ele, Alzira. Ele tocou o seu cabelo com a ponta dos dedos, Alzira.

— ...uma pessoa que eu respeito muito. A opinião dela.

— Pois a minha opinião é que a Silvia é um doce. Parabéns.

— Muito obrigada.

— Obrigado, hein, Alzira?

— Obrigado por quê?

— Por tudo.

— O que é isso, meu filho?

Depois que eles se afastam, Alzira abre sua bolsa de praia com firmeza. Primeiro, precisa encontrar os óculos escuros. Depois pegar um lenço de papel para assoar o nariz, que a vida é assim mesmo.

Férias

Conheceram-se na saída da escola. Ele ia todos os dias esperar a filha, ela ia pegar o filho.

Começaram falando sobre generalidades. A situação, essas coisas. "Viu as mensalidades?" "É o cúmulo." Etc. Aos poucos, no transcorrer do ano letivo, foram se conhecendo. Ele contou que a mulher trabalhava muito ("Pesquisa", disse, vagamente), ela contou que o marido tinha uma pequena indústria, coitado, e raramente via o filho, era só trabalho, trabalho. Descobriram algumas afinidades ("Eu também odeio quiabo!") e chegaram a discutir a possibilidade de terem um parente em comum, até concluírem que não, eram Nepomucenos diferentes.

O filho dela, o Carito ("Sabe como é, Oscar, nome do avô, depois Oscarito, ficou Carito"), e a filha dele, Paula, não eram da mesma turma mas acabaram — numa suave intervenção do destino — contracenando na mesma peça escolar, fazendo um par de anjos. Os dois chegaram a trocar informações técnicas sobre a feitura das asas. Foi, mesmo, num intercâmbio de moldes que as mãos deles se tocaram pela primeira vez. Sentavam sempre lado a lado, sem combinar, nas reuniões de pais e mestres, e um dia ela estranhou quando, depois da saída da escola, ele começou a ir embora sem a filha. Perguntou:

— Você não esqueceu a Paula?

— Hein? Ah, não. A Paula hoje não veio à escola. Resfriado.

— Então por que você está aqui?

Ele fez uma cara de espanto, de quem não tinha pensado nisso. Depois deu de ombros e disse:

— Hábito.

Os dois ficaram se olhando em silêncio por algum tempo. Até o Carito puxar a mãe pelo braço para irem pro carro.

Há dias ele perguntou para a filha se ela sabia onde o Carito passava as férias escolares.

— Quem?

— O outro anjo.

— E eu sei?

Naquele dia, na frente da escola, esperando a Paula e o Carito, eles falaram indiretamente sobre as férias que se aproximavam, tragicamente.

Nenhum disse que não saberia como viver sem aqueles encontros diários, ninguém propôs que continuassem a se encontrar durante o verão, talvez ali mesmo, na frente daquele portão, esperando uma saída imaginária. E não houve a menor sugestão de largarem tudo e fugirem para, sei lá, Las Leñas. Ele apenas comentou que nunca esperava que um dia fosse lamentar a chegada das férias. E ela apenas suspirou.

Quando se despediram, ela disse "Ah, olha só" e lhe deu uma fotografia.

Ele sabe que vai passar o verão olhando a fotografia. Que é da Paula e do Carito, lado a lado, vestidos de anjos, contra um fundo de azul mal pintado. No outro dia, a Paula começou a pular dentro de casa gritando "Férias! Férias! Férias!" e não entendeu nada quando o pai ameaçou bater.

Sala de espera

Sala de espera de dentista. Homem dos seus 40 anos. Mulher jovem e bonita. Ela folheia uma *Cruzeiro* de 1950. Ele finge que lê uma *Vida Dentária*.

Ele pensa: que mulherão. Que pernas. Coisa rara, ver pernas hoje em dia. Anda todo mundo de *jeans*. Voltamos à época em que o máximo era espiar um tornozelo. Sempre fui um homem de pernas. Pernas com meias. Meias de náilon. Como eu sou antigo. Bom era o barulhinho. Suish-suish. Elas cruzavam as pernas e fazia suish-suish. Eu era doido por um suish-suish.

Ela pensa: cara engraçado. Lendo a revista de cabeça para baixo.

Ele: te arranco a roupa e te beijo toda. Começando pelo pé. Que cena. A enfermeira abre a porta e nos encontra nus sobre o carpete, eu beijando um pé. O que é isso?! Não é o que a senhora está pensando. É que entrou um cisco no olho desta moça e eu estou tentando tirar. Mas o olho é na outra ponta! Eu ia chegar lá. Eu ia chegar lá!

Ela: ele está olhando as minhas pernas por baixo da revista. Vou descruzar as pernas e cruzar de novo. Só para ele aprender.

Ele: ela descruzou e cruzou de novo! Ai, meu Deus. Foi pra me matar. Ela sabe que eu estou olhando. Também, a revista está de cabeça para baixo. E agora? Vou ter que dizer alguma coisa...

Ela: ele até que é simpático, coitado. Grisalho. Distinto. Vai dizer alguma coisa...

Ele: o que é que eu digo? Tenho que fazer alguma referência à revista virada. Não posso deixar que ela me considere um bobo. Não sou um adolescente. Finjo que examino a revista mais de perto, depois digo "Sabe que só agora me dei conta de que estava lendo esta revista de cabeça para baixo? Pensei que fosse em russo". Aí ela ri e eu digo "E essa sua *Cruzeiro*? Tão antiga que deve estar impressa em pergaminho, é ou não é? Deve ter desenhos infantis do Millôr". Aí riremos os dois, civilizadamente. Falaremos das eleições e da vida em geral. Afinal, somos duas pessoas normais, reunidas por circunstância numa sala de espera. Conversaremos cordialmente. Aí eu dou um pulo e arranco toda a roupa dela.

Ela: ele vai falar ou não? É do tipo tímido. Vai dizer que tempo, né? A senhora não acha? É do tipo que pergunta "Senhora ou senhorita?". Até que seria diferente. Hoje em dia a maioria já entra rachando... Vamos variar de posição, boneca? Mas espere, nós ainda nem nos conhecemos, não fizemos amor em posição nenhuma! É que eu odeio as preliminares. Esse é diferente. Distinto. Respeitador.

Ele: digo o quê? Tem um assunto óbvio. Estamos os dois esperando a vez num dentista. Já temos alguma coisa em comum. Primeira consulta? Não, não. Sou cliente antiga. Estou no meio do tratamento. Canal? É. E o senhor? Fazendo meu *check-up* anual. Acho que estou com uma cárie aqui atrás. Quer ver? Com esta luz não sei se... Vamos para o meu apartamento. Lá a luz é melhor. Ou então ela diz pobrezinho, como você deve estar sofrendo. Vem aqui e encosta a cabecinha no meu ombro, vem. Eu dou um beijinho e passa. Olhe, acho que um beijo por fora não adianta. Está doendo muito. Quem sabe com a sua língua...

Ela: ele desistiu de falar. Gosto de homens tímidos. Maduros e tímidos. Ele está se abanando com a revista. Vai falar do tempo. Calor, né? Aí eu digo "É verão". E ele: "É exatamente isso! Como você é perspicaz. Estou com vontade de sair daqui e tomar um chope." "Nem me fale em chope." "Você não gosta de chope?" "Não, é que qualquer coisa gelada me dói a obturação." "Ah, então você está aqui para consultar o dentista, como eu. Que coincidência espantosa! Os dois estamos com calor e concordamos que a causa é o verão. Os dois temos o mesmo dentista. É o destino. Você é a mulher que eu esperava todos estes anos. Posso pedir a sua mão em noivado?"

Ele: ela está chegando ao fim da revista. Já passou o crime do Sacopã, as fotos de discos voadores... Acabou! Olhou para mim. Tem que ser agora. Digo: "Você está aqui para limpeza de pernas? Digo, de dentes? Ou para algo mais profundo como uma paixão arrebatadora por pobre de mim?"

Ela: e se eu disser alguma coisa? Estou precisando de alguém estável na minha vida. Alguém grisalho. Esta pode ser a minha grande oportunidade. Se ele disser qualquer coisa, eu dou o bote. "Calor, né?" "Eu também te amo!"

Ele: melhor não dizer nada. Um mulherão desses. Quem sou eu? É muita perna pra mim. Se fosse uma só, mas duas! Esquece, rapaz. Pensa na tua cárie que é melhor. Claro que não faz mal dizer qualquer coisinha. Você vem sempre aqui? Gosta do Roberto Carlos? O que serão os buracos negros? Meu Deus, ela vai falar!

— O senhor podia...

— Não! Quero dizer, sim?

— Me alcançar outra revista?

— Ahn... *Cigarra* ou *Revista da Semana*?

— *Cigarra*.

— Aqui está.

— Obrigada.

Aí a enfermeira abre a porta e diz:

— O próximo.

E eles nunca mais se vêem.

João Paulo Martins

— Você não é o...?

— Sou. E você é a Ana Beatriz.

— Eu não acredito!

— Tempão, né?

— Sabe que eu era apaixonada por você, na escola?

— O quê?!

— Era. Juro.

— E por que nunca disse nada?

— Tá louco? Era amor secreto. Só quem sabia era o meu diário. E a Leilinha, minha melhor amiga.

— Eu acho que lembro da Leilinha. Não era uma...

— Era. Completamente maluca. Ela vivia me dizendo: "Fala com ele, fala."

— Devia ter falado. Eu achava você linda.

— Verdade? Você nem me olhava!

— Lembro até hoje do seu cabelo comprido, repartido no meio.

— Não é possível! E você nunca...

— Nem pensar. Não podia nem sonhar que você daria bola pra mim. A Ana Beatriz? Me dar bola? Nunca!

— Veja você... Se um de nós tivesse falado alguma coisa...

— Pois é. Podia até ter pintado um... Você casou, ou coisa assim?

— Coisa assim. E você?

— Não. Quer dizer, tive aí um relacionamento que não deu certo. Quer dizer, deu durante dez anos, mas...

— Sei.

— Escuta. Você tem alguma coisa pra fazer agora?

— Não, não. Eu...

— E se a gente fosse tomar um café? Recuperar o tempo perdido?

— Vamos, uai.

— A Ana Beatriz apaixonada por mim... Veja você. Quando que eu ia pensar?

— Me lembro que enchi uma página de caderno com a minha assinatura como seria, se eu casasse com você. "Ana Beatriz Martins. Ana Beatriz Martins. Ana Beatriz Martins..."

— Martins?

— O seu nome não é Martins?

— Não. É Trela.

— Você não é o João Paulo Martins?

— Não. Sou o Augusto Trela.

— Augusto Trela?!

— É. Lembra?

— Não. Tem certeza de que nós fomos colegas?

— Tenho.

— Que engraçado. Eu não... Olha: desculpe, viu?

— O que é isso? Acontece.

— Esse café. Será que a gente pode...

— Claro. Fica pra outra vez.

— Desculpe, hein? Cabeça, a minha.

— Tudo bem.

— Então... Tchau.

— Ana Beatriz...

— Ahn?

— E se eu dissesse que meu nome é Martins?

— Mas não é.

— Que diferença faz? Eu não era o João Paulo Martins na escola, mas posso ser agora.

— Como?

— Se eu não tivesse dito nada, há pouco, você nem saberia que eu não era ele.

— Mas acabaria sabendo.

— Só se você quisesse. Eu poderia ser o João Paulo Martins até quando você quisesse. Até você pedir para ver a minha identidade. E você poderia nunca pedir para ver a minha identidade. Eu ser ou não ser o João Paulo Martins seria uma decisão exclusivamente sua.

— Mas...

— Escute. Esta pode ser a nossa oportunidade para reparar um erro do passado. Eu nunca ter declarado que amava você, e você nunca ter declarado que me amava.

— Mas eu não amava você. Amava o João Paulo Martins!

— Então me faça o João Paulo Martins!

— Isso é loucura. Eu...

— Outra coisa: este João Paulo Martins é melhor do que aquele.

— Por quê?

— Aquele nem olhava para você.

— Sei não...

— Você não vê? João Paulo Martins e Ana Beatriz foram feitos um para o outro. Senão o destino não lhes teria dado esta segunda chance!

— Sim, mas...

— Só um café. Depois a gente vê o que que dá.

— Tá bom, Augusto.

— João Paulo.

Lixo

Encontram-se na área de serviço. Cada um com seu pacote de lixo. É a primeira vez que se falam.

— Bom-dia.

— Bom-dia.

— A senhora é do 610.

— E o senhor do 612.

— É...

— Eu ainda não o conhecia pessoalmente...

— Pois é...

— Desculpe a minha indiscrição, mas tenho visto o seu lixo...

— O meu o quê?

— O seu lixo.

— Ah...

— Reparei que nunca é muito. Sua família deve ser pequena...

— Na verdade sou só eu.

— Mmmm. Notei também que o senhor usa muita comida em lata.

— É que eu tenho que fazer minha própria comida. E como não sei cozinhar...

— Entendo.

— A senhora também...

— Me chame de você.

— Você também perdoe a minha indiscrição, mas tenho visto alguns restos de comida em seu lixo. *Champignons*, coisas assim...

— É que eu gosto muito de cozinhar. Fazer pratos diferentes. Mas como moro sozinha, às vezes sobra...

— A senhora... Você não tem família?

— Tenho, mas não aqui.

— No Espírito Santo.

— Como é que você sabe?

— Vejo uns envelopes no seu lixo. Do Espírito Santo.

— É. Mamãe escreve todas as semanas.

— Ela é professora?

— Isso é incrível! Como foi que você adivinhou?

— Pela letra no envelope. Achei que era letra de professora.

— O senhor não recebe muitas cartas. A julgar pelo seu lixo.

— Pois é...

— No outro dia tinha um envelope de telegrama amassado.

— É.

— Más notícias?

— Meu pai. Morreu.

— Sinto muito.

— Ele já estava bem velhinho. Lá no Sul. Há tempos não nos víamos.

— Foi por isso que você recomeçou a fumar?

— Como é que você sabe?

— De um dia para o outro começaram a aparecer carteiras de cigarro amassadas no seu lixo.

— É verdade. Mas consegui parar outra vez.

— Eu, graças a Deus, nunca fumei.

— Eu sei. Mas tenho visto uns vidrinhos de comprimido no seu lixo.

— Tranqüilizantes. Foi uma fase. Já passou.

— Você brigou com o namorado, certo?

— Isso você também descobriu no lixo?

— Primeiro o buquê de flores, com o cartãozinho, jogado fora. Depois, muito lenço de papel.

— É, chorei bastante. Mas já passou.

— Mas hoje ainda tem uns lencinhos...

— É que eu estou com um pouco de coriza.

— Ah.

— Vejo muita revista de palavras cruzadas no seu lixo.

— É. Sim. Bem. Eu fico muito em casa. Não saio muito. Sabe como é.

— Namorada?

— Não.

— Mas há uns dias tinha uma fotografia de mulher no seu lixo. Até bonitinha.

— Eu estava limpando umas gavetas. Coisa antiga.

— Você não rasgou a fotografia. Isso significa que, no fundo, você quer que ela volte.

— Você já está analisando o meu lixo!

— Não posso negar que o seu lixo me interessou.

— Engraçado. Quando examinei o seu lixo, decidi que gostaria de conhecê-la. Acho que foi a poesia.

— Não! Você viu meus poemas?

— Vi e gostei muito.

— Mas são muito ruins!

— Se você achasse eles ruins mesmo, teria rasgado. Eles só estavam dobrados.

— Se eu soubesse que você ia ler...

— Só não fiquei com eles porque, afinal, estaria roubando. Se bem que, não sei: o lixo da pessoa ainda é propriedade dela?

— Acho que não. Lixo é domínio público.

— Você tem razão. Através do lixo, o particular se torna público. O que sobra da nossa vida privada se integra com a sobra dos outros. O lixo é comunitário. É a nossa parte mais social. Será isso?

— Bom, aí você já está indo fundo demais no lixo. Acho que...

— Ontem, no seu lixo...

— O quê?

— Me enganei, ou eram cascas de camarão?

— Acertou. Comprei uns camarões graúdos e descasquei.

— Eu adoro camarão.

— Descasquei, mas ainda não comi. Quem sabe a gente pode...

— Jantar juntos?

— É...

— Não quero dar trabalho.

— Trabalho nenhum.

— Vai sujar a sua cozinha.

— Nada. Num instante se limpa tudo e põe os restos fora.

— No seu lixo ou no meu?

Meninas

Primeiro dia de aula. A menina escreveu seu nome completo na primeira página do caderno escolar, depois seu endereço, depois o nome da cidade, depois o nome do estado, depois "Brasil", "América do Sul", "Terra", "Sistema Solar", "Via Láctea" e "Universo". A Rute, sentada ao seu lado, olhou, viu o que ela tinha escrito e disse: "Faltou o CEP."

Quase brigaram.

Ela era apaixonada pelo Marcos, o Marcos não lhe dava bola. Um dia, no recreio, uma bola chutada pelo Marcos bateu na sua coxa.

Ele abanou de longe, gritou "Desculpa", depois foi difícil tomar banho de chuveiro sem molhar a coxa e apagar a marca da bola. Ela teve que ficar com a perna dobrada para fora do boxe, a mãe não entendeu o chão todo molhado, mas o que é que mãe entende de paixão?

Sua melhor amiga era a Rute, que anunciou que teria três filhos, Suzana, Sueli e Sukarno.

"Sukarno?!"

"Li o nome no jornal."

"Mas por que Sukarno?!"

"Não tem nome de homem que começa com 'Su'."

E a Rute nem queria ouvir falar em não ter filho homem, o que resolveria o problema. Não transigiria.

Na festa de aniversário da Ana Lúcia, ela, a Rute, a Nicete e a Bel chegaram em grupo e foram direto para o banheiro. De onde não saíram. A Nicete às vezes entreabrindo a porta para controlar a festa, e a Bel dando uma escapada para trazer doces e a notícia de que não, o Marcos não estava dançando com ninguém. A Rute contou que já tinha pêlos pubianos e perguntou se as outras queriam ver, mas não houve unanimidade.

Naquele ano, a última página do caderno da menina estava toda coberta com o nome do Marcos repetido. Marcos e sobrenome, Marcos e sobrenome. Às vezes o nome dela com o sobrenome do Marcos. Às vezes o nome dos dois com o sobrenome dele. E na saída do último dia de aula antes das provas, alguém arrancou o caderno das mãos dela e levou para o Marcos ver. Ela correu, tirou o caderno das mãos do Marcos e disse "Desculpa". Naquela noite, chorou tanto que a mãe teve que lhe dar um calmante. Nunca mais falou com o Marcos.

Nunca mais encheu seu caderno com o nome de alguém. Nunca mais se apaixonou, ou chorou, do mesmo jeito. Do pior dia da sua vida só o que repetiu muitas vezes, depois, foi o calmante.

Pensou que se um dia saísse um livro com o seu diálogo com Marcos seria um livro de 100 páginas com "Desculpa!" na primeira página e "Desculpa" na última, e todas as outras páginas em branco. Seria o livro mais triste do mundo.

Um professor disse para a menina que só havia um jeito de compreender o Universo. Ela devia pensar numa esfera dentro de uma esfera maior, dentro de uma esfera ainda maior, dentro de uma esfera maior ainda, até chegar a uma grande esfera que incluiria todas as outras, e que por sua vez estaria dentro da esfera menor. A menina então entendeu que a sua melhor amiga Rute tinha razão, era preciso botar o CEP. Num universo assim, era preciso fixar um detalhe para você nunca se perder. Nem que o detalhe fosse a mancha no teto do seu quarto com o perfil da tia Corinha, a que queria ser freira e acabara oceanógrafa.

A menina disse para a Rute que era preciso escolher um detalhe da sua vida, em torno do qual o Universo se organizaria. Cada pessoa precisava escolher um momento, uma coisa, uma espinha no rosto, uma frase, um veraneio, um quindim, uma mancha no teto — um lugar no Universo em que pudesse ser encontrada, era isso.

— Pirou — disse a Rute.

Na corrida

Conheceram-se na avenida Atlântica, calçada da praia. Passaram quase um ano cruzando um pelo outro, ou correndo na mesma direção, sem se falarem. Até que um dia ele tomou coragem.

— Desculpe...

— Sim?

— Esse seu macacão...

— Francês.

— Não é Adidas?

— Não, não. É uma marca que não tem aqui.

— Bacana.

— Obrigada. Eu notei os seus tênis...

— Ah. Estes me trouxeram dos Estados Unidos...

— Devem ser bons.

— São ótimos.

A todas estas, correndo lado a lado.

— Você faz a praia toda?

— Não. Princesa Isabel. Posto 4.

— Eu, Posto 4, fim do Leme.

— Quantas vezes?

— Quatro. Semana que vem, aumento para cinco.

— Eu, três.

— Ah.

No dia seguinte se cruzaram e se acenaram. E todos os dias, depois disto, nunca deixaram de trocar palavras. Rápidas, quando se cruzavam. Mais demoradas, quando acontecia de emparelharem.

— E então?

— Tudo bem.

— Quantas?

— Já estou em quatro.

— Eu em cinco.

— Boa!

Quando se aproximava dela por trás, ele ficava examinando o seu corpo. Mesmo dentro do macacão francês, era um belo corpo. Firme. Decidido. Em pouco tempo, ela também chegaria a cinco.

Um dia chegaram juntos à Princesa Isabel e ele sugeriu:

— Vamos até o fim do Leme.

— Tá doido.

— Vamos lá. Coragem.

Ela foi. Foram e voltaram, lado a lado, no mesmo passo.

— Você, hein? Me desencaminhou.

Quando chegaram ao Posto 4, ela estava bufando. Ele adorava ouvi-la bufar.

Um dia pararam para conversar em frente ao Lido. Pararam, não. Continuaram correndo, mas sem sair do lugar. Os dois suados, felizes. Ela prendia o cabelo atrás mas alguns fios se soltavam e grudavam no rosto suado. Pelos lados passavam os outros corredores. Gente de todos os tipos. Velhos conhecidos do calçadão. Uma irmandade.

— Como tem gente fazendo *jogging*, né? — disse ele.

— Sabe que eu não gosto dessa palavra?

— É verdade. Bobagem.

— Prefiro o português, mesmo.

— Como é o português?

— Cuper!

Separaram-se às risadas. Ele, apaixonado.

Passaram a marcar encontro, todas as manhãs às sete na frente da Paula Freitas, e a correr juntos. Até o fim do Leme. Ele pretendia aumentar para seis, mas ficou nas cinco até que ela se condicionasse. E um dia, em frente ao Bolero, se beijaram. Foi difícil porque nenhum dos dois podia parar de pular, custaram um pouco até sincronizarem. Combinaram um programa para aquela noite. Os dois excitadíssimos.

Ele foi buscá-la. Ela estava esperando em frente ao prédio onde morava. Ele teve um choque. Chegou a hesitar, na esquina, antes de se aproximar.

— Oi.

— Oi.

Ela também parecia decepcionada. Pensando bem, era a primeira vez que se viam sem estar em movimento. Ela de vestido. Bem penteada. Maquiada. Enxuta.

— Você está... diferente — disse ela.

— Como assim?

— Sei lá.

Não foi um bom programa. Durante o jantar, não encontraram assunto. Acabaram falando de corrida. De corredores famosos. Ele disse que uma vez fora correr em Ipanema só para ver se encontrava o Millôr.

— E encontrou?

— Não.

— Ah.

Quando a deixou em casa, ele nem a beijou. Apertaram-se as mãos.

— Nos vemos amanhã?

— Claro!

Ele correu para a calçada da praia e já a encontrou pulando. Abraçou-a com entusiasmo. Ela também parecia contentíssima em vê-lo à luz do dia da manhã. Comentou:

— Epa! Adidas nova.

— Gostou?

— Bacana.

— Escuta, eu quero te fazer uma proposta.

— Fala.

— Hoje, vamos?

— O quê?

— Fazer seis?

— Topo!

E saíram na direção do Leme, bufando juntos.

Uma surpresa para Daphne

Daphne mal podia acreditar nos seus ouvidos. Ou no seu ouvido esquerdo, pois era neste que chegava a voz de Peter Vest-Pocket, através do fone.

— Daphne, você está aí? Sou eu, Peter.

Quando finalmente conseguiu se refazer da surpresa, a pequena e vivaz Daphne — era assim que a legenda da sua foto como debutante no *Tattler* a descrevera, anos atrás — esforçou-se para controlar a voz.

— Você quer dizer o sujo, tratante, traidor, nojento, desprovido de qualquer decência ou caráter, estúpido e desprezível Peter Vest-Pocket?

— Esse mesmo. É bom saber que você ainda me ama.

— Seu, seu...

— Tente porco.

— Porco!

— Foi por isso que eu deixei você, Daphne. Você sempre faz o que eu mando. Era como viver com um perdigueiro. Agora acalme-se.

— Porco imundo!

— Está bem. Agora acalme-se. Pergunte por que é que eu estou telefonando para você depois de dois anos.

— Não me interessa. E foram dois anos, duas semanas e três dias.

— Eu preciso de você, Daphne.

— Peter...

— Preciso mesmo. Eu sei que fui um calhorda, mas não sou orgulhoso. Peço perdão.

— Oh! Peter. Não brinque comigo...

— Daphne, você se lembra daquela semana em Taormina?

— Se me lembro.

— Do jasmineiro no pátio do hotel? Das azeitonas com vinho branco à tardinha no café da praça?

— Peter, eu estou começando a chorar.

— E daquela vez em que fomos nadar nus, ao luar, e veio um guarda muito sério pedir nossos documentos, e depois os três começamos a rir e o guarda acabou tirando a roupa também?

— Não. Isso eu não me lembro.

— Bom. Deve ter sido em outra ocasião. E a pensão em Rapallo, Daphne.

— A pensão! O velho do acordeão que só tocava *Torna a Sorriento* e *Tea for two.*

— E a festa de aniversário em que nós entramos por engano e eu acabei fazendo a minha imitação do Maurice Chevalier com laringite.

— Ah, Peter...

— Lembra o pimentão recheado da *signora* Lumbago, na pensão?

— Posso sentir o gosto agora.

— Qual era mesmo o ingrediente secreto que ela usava, e que só nos revelou depois que nós ameaçamos contar para o seu marido do caso dela com o garçom?

— Era... Deixa ver. Era manjericão.

— Você tem certeza?

— Tenho. Ah, Peter, Peter... Não consigo ficar braba com você.

— Ótimo, Daphne. Precisamos nos ver. Tchau.

— Tchau?! TCHAU?! Você disse que precisava de mim, Peter!

— Precisava. Eu estou fazendo aquele pimentão recheado para uma amiga e não me lembrava do ingrediente secreto. Você me ajudou muito, Daphne, e...

— Seu animal! Seu jumento insensível! Seu filho...

— Daphne, eu já pedi desculpas. Você quer que eu me humilhe?

O reencontro

Na última vez que tinham se visto, um tentava bater com um estandarte na cabeça do outro, que se defendia tentando acertar um soco no estômago do outro. Um gritava "Comunista!" e o outro gritava "Fascista!". Mas isso fora há anos. Agora estavam ali, anos mais velhos, no mesmo boteco. Tinham se cumprimentado discretamente. Constrangidos. Depois de alguns minutos de hesitação, um convidara o outro para sentar à sua mesa. Que diabo, fazia tanto tempo.

A briga fora na época em que os dois eram estudantes. Amigos, mas com idéias diferentes. Tempos agitados. Um dia tinham se encontrado num choque de manifestações opostas. Contra e a favor de alguma coisa. Os dois eram jovens e impulsivos. Tinham se xingado. Depois um partira para cima do outro com seu estandarte. Outros tempos. Outros hormônios. Nunca mais tinham se falado.

— Você ainda é daquele troço?

— Troço?

— Sei lá como se chamava. Cristãos Castrados contra qualquer coisa.

— Cruzada Cristã contra o Comunismo. Não.

— Ainda existe?

— Não sei. Você?

— O quê?

— Ainda é comunista?

— Rá!

Era uma resposta. O outro perguntou:

— Ainda existe?

— Comunista? Parece que uns dois ou três. Mas a polícia russa já tem o endereço deles.

— Você chegou a ser militante?

— Olha a marca aqui. Cassetete.

— Não fui eu?

— Você não me acertou com aquele estandarte ridículo. Cruzada Cristã... Só você mesmo.

— E você, com toda aquela conversa de fanático? Marx, Trotski, Gorki.

— Gorki? Que Gorki?

— Sei lá. Aquela ladainha.

— Não, ladainha é com você. Fanático é você. Fanático religioso.

— Era.

— Você deixou a Igreja?

— Há muito tempo. Fui me desencantando. Ficando cheio de dúvidas. Acabei perdendo a fé.

— Parecido com o que aconteceu comigo. As poucas certezas que eu ainda tinha desapareceram com essa história toda lá no Leste Europeu. E Rússia. Não dá para acreditar em mais nada...

— Melhor assim. Somos pessoas maduras. Racionais. Recuperar a razão é uma das compensações da idade.

— Quais são as outras?

— Ainda não descobri.

Quando viram, estavam brindando à amizade recuperada e trocando informações sobre as famílias e descobrindo que seu encontro naquele boteco não fora um acaso completo. Estavam os dois fazendo hora para assistir à palestra de Rangar Krisnamon na sua primeira visita ao Brasil. Os dois eram discípulos de Rangar Krisnamon! Ambos tinham lido *O Olho Interior* e *Minhas Vidas*, ambos tinham o Amuleto Regenerador. Tiraram do bolso o pequeno estojo com um fio da barba de Krisnamon e o fizeram rodar na ponta da correntinha sobre seus copos, entoando a Encantação Milenar:

— *Oam, patapai.*

— *Oam, patapai.*

Depois um olhou o relógio e sugeriu que era melhor se dirigirem para o auditório, que já devia estar enchendo, pois ambos sonhavam em chegar perto de Krisnamon e, se possível, tocar os seus pés. Pois diziam que quem tocasse os pés de Krisnamon se encheria da Verdade Única, seria como um cântaro da Verdade Única, e os dois saíram do boteco abraçados.

Enquanto dure

Depois da separação, veio aquele momento difícil que é o da divisão das coisas.

Tudo o que eles tinham acumulado juntos, ou trazido das suas vidas separadas para compartilharem, de repente, precisava ser reidentificado como "Meu" ou "Seu".

Mais prática, como sempre, Taís já tinha tudo organizado quando José Eduardo chegou ao apartamento.

— Esta pilha aqui é das minhas coisas, essa pilha é das suas coisas, esta caixa é para as coisas que vão fora.

— Me parece justo.

— Como, "justo"? Não tem nada a ver com justiça. O que é meu é meu e o que é seu é seu. Isto não é redistribuição de renda.

— Me expressei mal. Desculpe. Não quis dizer "justo". Quis dizer "atá". De acordo.

— Se fosse uma questão de justiça, eu é que tinha que reclamar. Sua pilha é muito maior do que a minha.

— Está certo, Taís.

— O que você tinha de papel velho... Só de suplemento cultural guardado para ler depois tem mais de um metro.

— Está bem, Taís!

— Você quer a Efigênia?

Era uma pequena escultura, um busto de mulher que ele apelidara de Efigênia.

— Não, não.

— Você sempre gostou dela.

— Pode ficar.

— Alguma coisa da cozinha?

— Não.

— A mostarda?

— Não. Nada. Bom, talvez aquelas alcaparras italianas.

— Que alcaparras italianas?

— Aquele vidrinho. As alcaparras pequenininhas.

— José Eduardo, aquele vidrinho acabou há mais de um ano.

— É? Então não quero nada.

— Você quer examinar a minha pilha?

— Não precisa, eu... Espera aí. Esse Vinícius de Moraes é meu.

— É meu.

— Não, senhora. Tenho certeza de que é meu.

— É meu, José Eduardo.

— Me lembro claramente de ter comprado esse livro. Lembro até a livraria.

— Eu ganhei esse livro, José Eduardo.

— De quem?

— Não me lembro.

— Arrá!

— Como, "arrá"?

— Arrá. A, erre, erre, a. Você não lembra porque não ganhou de ninguém. O livro é meu.

Taís não disse nada. Pegou o livro da sua pilha, irritada, e abriu na primeira página.

— Está aqui. Tem até dedicatória. "Taís. Que o nosso amor seja eterno enquanto dure. Um beijo carinhoso do..."

Ela parou. Ele perguntou:

— Quem?

Taís hesitou. Depois respondeu.

— Você.

— Eu?!

— Você me deu o livro. Vinte de outubro de 86. Nós éramos namorados.

Ele pegou o livro das mãos dela, leu a dedicatória, depois fechou o livro e recolocou na pilha. Os dois ficaram em silêncio, emocionados. Ela foi olhar pela janela, para disfarçar. Ele espiou dentro da caixa de coisas que iam fora, só para ter o que fazer.

— Taís! Meu time de botão!

— O quê?!

— Você ia botar meu time de botão no lixo!

— Francamente, José Eduardo. Estava no fundo do armário.

— Olha aqui! Olha aqui!

Ele tinha resgatado um botão de dentro da caixa e o brandia como prova acusatória.

— O Rivelino! Você ia jogar fora o Rivelino!

A Vilminha

Os amigos da Vilminha ficaram muito preocupados quando ela começou a namorar um intelectual. Logo a Vilminha!

Há dez anos que a Vilminha tentava terminar *O Pequeno Príncipe* e não conseguia.

Todos gostavam muito da Vilminha e não queriam vê-la magoada.

— Vilminha...

— Hmmm?

A Vilminha, além de tudo, era muito distraída.

— Vilminha!

— O que é, puxa?

— Quando estiver com ele, vê se não fala muito.

— Isso. Deixa ele falar.

— É, Vilminha. Tudo que ele disser, você diz: "Será?".

Neste ponto houve uma divergência no grupo.

— Mas que conselho é esse? Tudo que ele diz, ela diz: "Será?". Vai passar por louca.

— Então não diz nada.

— É, Vilminha. Faz um ar misterioso.

Mas a Vilminha não estava mais nem ouvindo.

Sempre que viam a Vilminha com o intelectual, era ela quem mais falava. Todos ficavam imaginando o que a Vilminha tanto dizia. Alguém chegou a sugerir uma incursão de espionagem.

— Vou lá ouvir o que ela está dizendo.

— Não vai, não.

Ficavam todos com os olhos presos na mesa da Vilminha e do intelectual, temendo que a qualquer momento ele se levantasse, dissesse alguma coisa desagradável sobre a capacidade mental da Vilminha e se retirasse, deixando-a arrasada. Mas a Vilminha falava, falava e o intelectual só olhava.

Um dia a Vilminha, preocupada, veio perguntar para a Magra e a Clô o que era amor platônico. A Magra e a Clô se entreolharam. Por quê?

— Ele disse que o nosso amor vai ser platônico.

— Olha, Vil, não sei, mas toma cuidado.

O conceito geral era que um intelectual, para namorar a Vilminha, logo a Vilminha, era porque estava querendo alguma coisa estranha. Redobraram a vigilância.

Mas quando viam a Vilminha e o intelectual na rua, de mãos dadas, ou no bar, ele parecia apaixonado. A Vilminha falava, falava e ele só olhava para ela, apaixonado. De vez em quando dizia uma palavra. Alguns suspeitavam de que fosse: "Será?".

Um dia a Vilminha trouxe o intelectual para a mesa do grupo. Todos ficaram meio sem jeito. O Bocão, para deixar claro que o papo entre eles não era o que o intelectual podia estar pensando, perguntou:

— Gostas do Kundera?

— Ainda não li — disse o intelectual.

O intelectual não tirava os olhos da Vilminha. A Vilminha fez rodopiar uma bolacha de chope e o intelectual olhou para os outros, convidando-os a partilhar o seu êxtase. Tinham visto? A Vilminha fazia rodopiar uma bolacha de chope!

Então a Vilminha coçou o nariz e disse:

— Ai. Coceira no nariz.

E o intelectual atirou a cabeça para trás, numa gargalhada. Depois olhou em volta, entusiasmado.

— Ela não é uma gamine? É uma gamine!

E todos na mesa ficaram olhando para a Vilminha, admirados. A Vilminha, hein? Quem diria. Uma gamine, e ninguém sabia.

Paixões

Quem entende como as pessoas se apaixonam? Pode acontecer de uma hora para outra. Você conhece uma pessoa a vida inteira e um dia nota alguma coisa, um detalhe que nunca tinha percebido antes, e pimba: amor à milésima vista. O Valter e a Nancy, por exemplo. Amigos desde o tempo de escola, o Valter conta que aconteceu num dia em que os dois vinham pela rua com uma turma, a Nancy um pouco na frente, e de repente ela levantou o cabelo por trás com as duas mãos e segurou no topo da cabeça, mas sobraram alguns fios. Aqueles fios finos e curtos que cobrem a nuca, o Valter diz que foram os cabelos da nuca. Ele foi tomado de um tamanho sentimento de carinho por aqueles fios na nuca da Nancy que chegou a parar, diz ele que para não chorar. Depois correu atrás dela e beijou a nuca, e no dia seguinte estavam namorando firme, para surpresa de amigos e familiares. Já a Nancy diz que não se apaixonou na hora, só dias mais tarde. E só quando o Valter não está perto conta como aconteceu. Se apaixonou numa festa a que foi com o Valter e na qual, quando gritaram "Todo mundo nu!", o

Valter tirou um saco plástico, dobrado, do bolso. Tinha trazido um saco plástico para guardar sua roupa e a dela e evitar que se misturassem com as dos outros. Aquilo a enterneceu. "Foi o saco plástico", conta a Nancy.

Como o amor acaba é outro mistério. A Joyce e o Paquette, por exemplo. Namoraram anos, noivaram, casaram e tudo acabou numa noite. Acabou numa frase. Os dois estavam numa discoteca, sentados lado a lado, vendo os mais jovens se contorcendo na pista de dança, e o Paquette gritou:

— Viu a música que está tocando?

E a Joyce:

— O quê?!

— A música. Estão tocando a nossa música. Lembra?

— Hein?

— Estão tocando a nossa música!

— O quê?

— A música. Do nosso noivado. Lembra?

— Eu não consigo ouvir nada com essa porcaria de música!

— Esquece.

* * *

Outra paixão misteriosa é a do homem pelo seu carro. Ou não tão misteriosa. A sensação de que basta espremer um pequeno acelerador para ter vários cavalos de força sob seu comando é um dos maiores prazeres que o mundo moderno proporciona ao homem. O homem e a máquina são uma coisa só. O motor é a sua energia, o sistema elétrico são os seus nervos em perfeita sincronia, os pneus são suas garras de tigre devorando distâncias sem esforço, a gasolina é seu sangue, as prestações a pagar são seus vínculos com a realidade e com seus limites humanos.

Às vezes a identificação do dono com a máquina vai longe demais, como no caso do homem que bateu com seu carro, não se machucou, mas passou a sentir todas as dores do carro. De noite gemia como se fosse o carro. Sentia dores no lado, onde a lataria do carro amassou, uma dor no olho, correspondendo ao farol quebrado do carro.

Acordava de manhã com dores generalizadas no esqueleto, correspondendo ao abalo na estrutura do carro. Mas o pior, segundo a mulher dele contou ao médico, eram as manchas de óleo no lençol.

E há casos mais graves.

— Me apaixonei por uma Kombi, doutor.

— Sim.

— Quando não estou dentro da Kombi, só penso nela. Nas suas formas. No calor do seu estofado. No seu volante roliço em minhas mãos...

— Certo. E qual é o problema?

— Minha mulher ainda não sabe, e não sei como contar a ela. Já sei o que ela vai dizer. "Ou a Kombi, ou eu." O que que eu faço, doutor?

— Acho que você deve pesar bem a situação. De que ano é a sua mulher? Ela carrega qualquer tipo de carga? E suas cadeiras, também são removíveis?

O ciúme é um problema.

— Limpando o seu carro de novo?

— Só dando um brilho.

— Mas às quatro da manhã?!

— E daí?

— Se você me desse metade da atenção que dá a esse carro...

— Ora, meu bem, que bobagem. Vem aqui, vem.

A mulher vai e ele começa a passar a flanela nas suas costas também. Sem tirar os olhos do carro.

Fora do carro, você está preparado para fazer todas as concessões em nome da cortesia e da boa convivência. Você é respeitoso, pacífico, solícito — enfim, um pedestre. Mas entre no seu carro e veja o que acontece. A civilização desaparece, a besta toma conta. Alguns racionalizam esta transformação e explicam que só agem assim em legítima defesa. Precisam se defender de palermas que querem deter a sua marcha e só estão esperando uma oportunidade para arranhar seu pára-lama e roubar sua vaga. Ou seja, todos os outros motoristas. O inimigo.

Não é por nada que Sigmund Freud nunca quis ter automóvel. Sabia de todas as suas conotações simbólicas. Preferia uma charrete. Que, curiosamente, ele chamava de "mamãe".

Moça do interior

Tinham marcado um encontro, mesma hora (15 para a meia-noite), mesmo lugar, um ano depois. E na hora marcada ele estava lá, aflito, olhando em volta, será que ela vem? Não vem. Esqueceu. Claro que esqueceu. Um ano antes tinham começado a conversar enquanto esperavam os fogos, ela estava com a mãe e uma tia, ele com uns amigos, à meia-noite tinham se abraçado meio sem jeito, beijinho, beijinho, depois conversado muito. A mãe e a tia cansadas, querendo voltar para o hotel, os amigos querendo ir beber, e ele e ela querendo ficar ali, conversando, até o sol raiar. Só falando bobagem, ele nem lembrava bem o quê, o importante é que não queriam se separar. Quando finalmente se separaram, ele pediu o endereço dela e ela — já se afastando, puxada por mãe e tia impacientes — gritou: "É longe!". E ele: "Onde?". E ela: "No interior. Longe!". E ele: "Ano que vem! Aqui mesmo! Quinze pra meia-noite!". E ela: "Tá!".

Tinha esquecido. Claro que tinha esquecido. Que idéia, pensar que... E então ela apareceu. Ainda mais linda do que um ano antes.

Com a mesma mãe e outra tia. "Oi." "Oi." "Pensei que você tivesse..." "O que é isso? Passei o ano inteiro pensando neste encontro." "Eu também!" E quando viram, estavam de mãos dadas. Seria possível que ele tivesse encontrado a mulher da sua vida, daquele jeito, por acaso, na rua, numa noite de Ano Bom? Essas coisas não acontecem, pensou. Não assim. Perguntou como tinha sido o ano dela. Ela disse "Legal" e perguntou como tinha sido o dele. Ele disse que tinha sido bom, apesar de tudo, e comentou: "Que coisa, as torres, né?". E ela: "Que torres?". E ele: "As torres do World Trade Center, os atentados." E ela: "Eu não fiquei sabendo." Foi quando ele pensou: era bom demais para ser verdade. À meia-noite se abraçaram, não se beijaram porque a mãe estava de olho, mas ele já sabia que não ia dar certo. Não tinha nada contra a moça ser do interior. Mas não tão do interior assim.

Eles e/ou Elas

!

A retranqueta do polidor

A mentira é necessária. Sem a mentira, a vida social seria impossível. Sem a mentira, muitos casamentos não resistiriam duas semanas. Não estou falando da falsa bajulação e das falsas juras, das declarações insinceras que os casais trocam para se agradar mutuamente, do orgasmo fingido ou sequer das repetidas promessas de não molhar mais o banheiro como um urso depois do banho. Me refiro às pequenas mentiras que mantêm um relacionamento estável, mesmo que dependa de algum autocontrole da sua parte, mulher, para não rir ou desafiar a veracidade do que ele disse. Pois ele pode estar mentindo para o seu bem. Por exemplo.

Se o homem diz "deve ser a retranqueta do polidor" quando não tem a menor idéia do que há de errado com o carro, não é para proteger o orgulho dele. Está mentindo para a sua tranqüilidade. Para que você não saiba que está vivendo com alguém que não tem bem certeza nem de onde fica o motor, quanto mais qual é o problema. Você se sentiria segura sabendo que, no caso de o carro enguiçar, no meio da noite, perto do Morro das Metralhadoras de Uso Exclusivo das Forças Armadas, a única providência técnica que ele poderia tomar seria trancar as portas por dentro? Está certo, não existe o polidor e muito menos a sua retranqueta — até onde eu sei —, mas o importante é você pensar que o polidor existe, e que ele sabe exatamente onde fica e o que precisa ser feito para consertá-lo.

— É só dar um repique na retranqueta e equalizar o polidor.

Mulher, mulher. Acima de tudo, não se meta. Se no dia seguinte ele deixar o carro em casa, alegando que não quer forçar a retranqueta para não anodizar o parkerson, em hipótese alguma receba-o em casa na volta do trabalho com a notícia de que você levou o carro na oficina por sua conta.

— O quê?! E o que você disse que era?

— O que você falou. A retranqueta do polidor.

Pronto. Ele nunca mais vai poder olhar o mecânico na cara. A esta altura toda a oficina já sabe que ele provavelmente pensa que afogador é um assassino de praia. Ele está arrasado. Você o destruiu. A não ser que...

— E o que foi que o mecânico disse?

— Que ia dar um repique na retranqueta e equalizar o polidor.

O casamento está salvo. Ele não precisa se preocupar em ser desmascarado. Agora, precisa se preocupar com o mecânico, que obviamente sabe menos do que ele.

Persuasão

— Não, bem. Pára.

— Querida...

— Não insista.

— Mas por que não?

— Porque não.

— Você não me ama.

— Não seja bobo. Amo sim. Eu só acho que nestas coisas a gente deve ir devagar. Dar tempo ao tempo.

— Dar tempo ao... Mas o mundo tá acabando!

— Não faça drama. Só porque eu não quero não quer dizer que o mundo vai acabar.

— Mas o mundo está acabando mesmo! Você não lê os jornais? Tá chegando no fim. Não há mais tempo para nada.

— Exagero.

— Que exagero?! Temos que aproveitar a vida agora. Hoje. Fazer tudo, provar tudo...

— Pára, eu já disse.

— Escuta aqui, e o cometa?

— Que tem o cometa?

— O cometa é um sinal. Pensa que é por acaso que o cometa taí? É um aviso. O fim não tarda. O fim pode ser amanhã mesmo!

— Me larga. Olha que eu vou embora.

— Está bem. Só me diz uma coisa. E a crise?

— Qual é a crise?

— Pois é, qual delas? Tá tudo em crise. Falta papel, carne...

— Folha-de-flandres.

— Folha-de-flandres, óleo comestível, gasolina, material de construção. Sabe como é que nós vamos acabar?

— Agora você ficou brabo.

— Sabe como é que nós vamos acabar? Cavando a terra atrás de mandioca. É. Você e eu brigando por uma raiz, por capim. Água também não vai ter, tá toda contaminada. E eu estou sendo otimista, porque...

— Não fica exaltado, bem.

— Porque pode estourar uma guerra a qualquer momento! Aí é que eu quero ver.

— Querido...

— E você ainda quer dar tempo ao tempo. Essa é muito boa. Acho que antes do fim do ano vai ter gente brigando de tacape por um ratão de esgoto. É. E quem ganhar come ele cru, porque nem lenha vão encontrar mais. E gente assim do nosso nível.

— Vem cá. Te acalma, puxa. Encosta aqui.

— Tempo ao tempo. Tem que ser tudo agora. Rápido. Aproveita enquanto dá.

— Está certo, você me convenceu.

— Ratão de esgoto, ouviu bem? E sem sal, que também vai faltar. Como, te convenci?

— Me convenceu. Agora eu quero. Você tem razão, temos que aproveitar a vida antes que a crise tome conta. Vamos.

— Peraí um pouquinho.

— Vem, bem. Você não queria tanto?

— Pois é, mas agora fiquei meio deprimido.

Saudade

A ilha só não é uma ilha deserta de cartum porque em vez de uma palmeira tem várias. Mas no resto é igual. Os náufragos são dois. Dá para ver o tempo que estão na ilha pelo comprimento das suas barbas, e as barbas batem no joelho. Estão falando sobre mulher.

— Tem um ponto, acho que é aqui no pescoço — faz tanto tempo — em que todas cheiram igual.

— Bobagem. Cada uma tem um cheiro diferente.

— Não, não. Tenho certeza quase absoluta. É aqui, nesta dobra. Um cheiro, assim, doce. Todas.

— E você cheirou todas?

— Todas as que eu conheci tinham o mesmo cheiro aqui. Eu enchia as narinas, meu Deus. Eu...

— Não vá começar a chorar outra vez. Você prometeu.

— Sabe do que é que eu me lembro? Do antebraço.

— Onde é que ficava isso?

— Aqui em cima. O antebraço é a coxa do braço. O braço era embaixo.

— Não é o contrário?

— Não importa o nome. Aquela parte carnuda, em cima.

— Já localizei. O que que tem?

— É a parte da mulher que envelhece mais devagar.

— Você está delirando.

— É fato. Quando a mulher é nova, a carne ali é rija. Depois de uma certa idade, ela perde a rigidez, mas não fica flácida logo. Fica, assim, cheia. Roliça.

— História.

— Até nas magras, aquela parte é carnuda. Nunca conheci uma magra que não tivesse, pelo menos ali, um montinho remissor. Alguma coisa onde se meter os dentes.

— Lembra as magras de peito grande?

— Lá vem você com peito.

— Sempre fui um homem de peitos.

— Está bem, está bem. Mas não generaliza. Pense naquela curva aqui, saindo da axila e inchando suavemente, suavemente... Dizem que não existem dois seios iguais no mundo.

— Como que não? Pelo menos dois têm que haver.

— Não há! Não é fantástico? O esquerdo é diferente do direito.

— Vem com essa. Só porque cada um olha para um lado.

— Não. São diferentes. Têm personalidades diferentes, tudo.

— E eu tenho que agüentar...

— Lembra da nuca?

— Nuca...

— Quando elas puxavam o cabelo para cima, sempre sobravam uns fios na nuca.

— Puxa. Eu tinha me esquecido da nuca.

— É onde a mulher tem o cabelo mais fino.

— Não vem com teoria.

— A curva do ombro. As costas quentes. Aquele ponto onde ainda não é a nádega mas já há uma elevação, um prenúncio...

— A junção da nádega com a parte de trás da coxa...

— Ah, aquela prega.

— Não tinha prega nenhuma.

— Como que não? Uma espécie de subnádega. Cansei de ver.

— Nas suas, talvez. Que eu me lembre, terminava a nádega e começava a coxa, direto.

— Pelo amor de Deus. E aqueles riscos que elas tinham embaixo da nádega, o que eram? Bigodes?

— Nunca vi risco nenhum.

— Porque você não prestou atenção. Só via peito.

— Está bem. Concedo a prega.

— Agora, formidável era como a frente das coxas se projetava, lembra?

— Mmmm.

— A curva das coxas se salientava. Era uma curva longa, do quadril até o joelho. Um leve arco protuberante.

— Dos joelhos, sempre preferi a parte de trás.

— Os vãos. Exato.

— Nas coxas, às vezes, você não via, mas olhando de perto, notava uma leve penugem.

— Tão leve que passando a mão não se sentia.

— Muitas raspavam as pernas.

— Às vezes ficavam cortes. Pequenos cortes.

— Isso. Criavam casca.

— Só olhando bem de perto a gente via.

— A pele macia e aquele cortezinho. Pobrezinhas.

— A pele macia...

— A perna atrás. Do vão dos joelhos até o tornozelo.

— O tornozelo. Enrugadinho, mas lindo.

— O dedinho do pé, sempre meio encurvado para dentro.

— Todo aquele grande trecho do pescoço, da orelha até o ombro.

— Orelha!

— A boca.

— Não fala.

— O lábio inferior um pouquinho maior que o superior.

— Os dentinhos, às vezes saltados. Mmmm.

— A gente encostava a cabeça num seio e ouvia o coração.

— Era morno. Tudo era morno.

— Aquelas duas entrâncias na base das costas.

— O umbigo...

— Ah...

— Você prometeu que não ia chorar mais.

— Por que você foi falar no umbigo?

Antigas namoradas

O Plínio se aposentou. Não tinha nada para fazer, e um dia se viu pensando nas suas namoradas. Todas as namoradas que tivera, desde a primeira. Quem fora a primeira? A Maria Augusta, claro. Nunca mais pensara na Maria Augusta. Foi uma lembrança tão forte que ele chegou a exclamar em voz alta:

— Gugu!

A mulher pensou: pronto. O Plínio ficou gagá. Só estava esperando se aposentar para ficar gagá. Senilidade instantânea. Não perdeu tempo. Mas o Plínio continuou:

— Que coisa. Como eu fui me esquecer dela?

— Quem?

— A minha primeira namorada. Maria Augusta. Gugu. Nós tínhamos 12 anos. O primeiro beijo na boca. Ela que me deu. Namoramos escondidos. Uma vez combinamos que um ia sonhar com o outro. Seria um sonho só. Nos encontraríamos no sonho. Engraçado, as coisas que a gente começa a se lembrar...

— E sonharam?

— Hein? Não, claro que não. Mas mentimos que sim. O namoro durou um verão. Nunca mais soube dela. Depois veio a... a... Sulamita!

— Você namorou uma Sulamita?!

— Espera. Preciso fazer uma lista.

O Plínio saiu atrás de papel e caneta. Pronto, pensou a mulher. O Plínio encontrou uma ocupação.

— Então, vamos ver. Gugu, Sulamita...

— Que idade tinha essa Sulamita?

— Uns 14. Primeiro beijo de língua. Primeira mão no peito. Mas só por fora. Ela não queria fazer mais nada. Meu Deus, as negociações! As intermináveis negociações. Deixa. Não deixo. Pega aqui. Eu não. Só um pouquinho. Não. Você não me ama! Sexo, sexo mesmo, ou uma simulação razoável, foi só com a seguinte, que se chamava... Não. Antes do sexo teve um anjo. A Liselote. Loira, magra, alta. Pele de alabastro. O que é mesmo alabastro?

— Não sei, acho que é uma espécie de...

— Não importa. A pele da Liselote era de alabastro. Namoramos durante anos. Um dia fizemos um pacto suicida, mas eu levei tanto tempo para escrever o bilhete que ela achou que era má vontade e o namoro acabou. Anos depois nos encontramos e ela me disse que era psicóloga e tinha quatro filhos. Depois da Liselote, então, veio o sexo animal! Com a, a... Como era o nome dela? Marina. Não, Regina. Cristina. Por aí. Fizemos de tudo, ou quase tudo. Foi a primeira namorada oficial, daquelas de ficar de mão dada na sala. Nossas famílias se conheciam. Durou quatro anos. Engraçado eu não me lembrar do nome dela. Me lembro de um sinalzinho na nádega, estou vendo ele agora, mas não me lembro do nome. Era para acabar em casamento assim que eu me formasse, o pai dela nos ajudaria... Mas um dia ela me viu descascando uma laranja e teve uma crise. Por alguma razão, o meu jeito de descascar uma laranja desencadeou uma crise. Ela disse que não podia se imaginar casada comigo, com alguém que descascava laranja daquele jeito. Mandaram ela para a Europa, para ver se ela se recuperava e, na volta, noivava comigo. Mas não teve jeito.

— Priscila.

— O quê?

— O nome dela é Priscila.

— Como você sabe?

— Você me apresentou, não lembra? Só não me contou a história da laranja.

— Nem sei se foi laranja. Alguma coisa que eu fazia que... Bom, Priscila. Depois dela, deixa ver... Mercedes. A boliviana. Colega na faculdade. Baixinha. Grandes seios. Vivia cantarolando. Não parava de cantarolar. Um dia eu reclamei e ela atirou um vaso na minha cabeça. Depois, depois...

— Não teve uma Isis?

— Isis! Claro. Eu falei da Isis pra você? Era corretora de imóveis. Bem mais velha do que eu. Foi quem me ajudou a escolher um escritório, depois da formatura. Não chegou a ser namoro. Fizemos sexo de pé em várias salas vazias da cidade, e ela nunca chegou a tirar o vestido. Não era bonita, mas tinha pernas longas, usava meias pretas e rosnava quando tinha um orgasmo. Rosnava. Era assustador. O negócio acabou quando eu encontrei o escritório que queria. Grande Isis... Olha aí, até que não foram muitas. Gugu, Sulamita, Liselote, Priscila, Mercedes, a boliviana... Ah, teve uma, eu já contei? Uma que miava quando a gente estava na cama. Miava! Me chamava de "meu gatão", toda melosa, e miava. Já pensou, o ridículo? Como era o nome dela?

— Era eu, Plínio.

— O quê? Não. O que é isso?

— Era eu.

— Não era não. Que absurdo. Nós, inclusive, não transamos antes de casar.

— Transamos, namoramos, e eu miava porque você pedia.

— Era outra pessoa.

— Era eu, Plínio. Bota o meu nome na sua lista.

— Não. Nem sei por que eu comecei esta bobagem...

— E quer saber de uma coisa? Não é o seu modo de descascar laranja, Plínio. É o seu modo de chupar laranja. A Priscila tinha razão. Não sei como eu agüentei todos estes anos. A Priscila tinha razão!

A russa do Maneco

Todos ficaram muito intrigados quando o Maneco, logo o Maneco, apareceu com uma russa. Em pouco tempo, "a russa do Maneco" se tornou o assunto principal da turma. Todas as conversas, cedo ou tarde, acabavam na frase "E a russa do Maneco?", e daí em diante não se falava em outra coisa. E, claro, quando o Maneco e a russa estavam com a turma, a russa era o centro de todas as atenções. Os homens de boca aberta, as mulheres tentando ser simpáticas mas odiando a russa.

Porque a russa do Maneco era linda como só as russas conseguem ser. Olhos claros e puxados, maçãs do rosto altas, um lábio inferior cheio e um pouco mais saliente que o de cima, pele branca como as estepes, cabelos loiros como os trigais da Geórgia, ou onde quer que nasça muito trigo por lá. E o corpo, o corpo...

— Bailarina — sentenciou uma das mulheres, como se acusasse a russa de competição desleal.

Bailarina, sim, mas bailarina de um tipo especial: com anca e peito. Pernas longas. Mais alta do que o Maneco. Quando o Maneco a abraçava, ela beijava o topo da sua cabeça. (Os homens suspirando, as mulheres se revoltando.) E a russa só sabia uma palavra em português, além de "bom-dia" e "obrigado":

— Manequinho.

Muitos da turma não conseguiam dormir, pensando no Maneco com a russa na cama, e no "Manequinho" dito com aquele sotaque russo, por aqueles lábios russos. Logo o Maneco!

O Maneco não explicava onde e como encontrara a sua russa. Só dizia, misteriosamente:

— A coisa mais fácil de conseguir, hoje, na Rússia, é plutônio e mulher. — Dando a entender que, além de uma mulher espetacular, também estaria envolvido com o tráfico clandestino de material radioativo. As duas principais sobras da derrocada do império soviético. O que deixava a turma ainda mais intrigada. Que se soubesse, o Maneco nunca saíra do Brasil. Mas as pessoas têm vidas secretas, afinal. E numa das suas vidas secretas, talvez negociando plutônio para revender a algum grupo terrorista, o Maneco encontrara a sua russa. Depois de verem a russa beijando o topo da sua cabeça, ninguém duvidava de mais nada a respeito do Maneco.

Mas um dia o Maneco apareceu sem a russa. Arrá, pensaram todos. A russa finalmente se dera conta de quem o Maneco realmente era. Fosse qual fosse a mentira que o Maneco usara para conquistá-la, estava desmascarada. A russa deixara o Maneco, as coisas voltavam aos seus lugares, o mundo voltava à normalidade. Estava restabelecida a lógica, segundo a qual uma russa daquelas não podia ser de um Maneco daqueles. Que fim levara a russa?

— Olha — disse o Maneco —, russa não é fácil, viu?

Repetiu:

— Russa não é fácil!

E contou que as russas eram possessivas, e ciumentas, e atrasadas, pois não admitiam que um homem podia ter duas ou três namoradas ao mesmo tempo e...

Naquele momento gritaram do bar que havia um telefonema, uma mulher chorosa querendo falar com o "Manequinho", e o Maneco começou a fazer sinais frenéticos e a dizer: "Diz que eu não estou, diz que eu não estou."

Sensação na turma. O Maneco é que deixara a russa! E se com a russa o Maneco já era o assunto preferido da turma, sem a russa passou a ser ídolo.

Holisticamente

A Sheila era tão mais exuberante, falante e inteligente do que o marido que os amigos se apiedavam dele. Reclamavam quando a Sheila o interrompia, sempre que ele começava a dizer alguma coisa, com um ríspido "Quer fazer o favor, Flávio Augusto?".

— Deixa ele falar, Sheila!

— Mas esse aí não diz nada que preste!

O pior era que o Flávio Augusto não dizia, mesmo, nada que prestasse. Nas poucas vezes em que conseguia falar, dizia bobagem. E aí a Sheila olhava em volta com uma expressão de "Pode?" no rosto. Podia alguém ser tão bobo quanto o Flávio Augusto?

E ela era inteligentíssima. Falava sobre tudo, entendia de tudo. Até que os amigos prepararam uma. Um pouco para vingar o coitado do Flávio Augusto, um pouco porque também não agüentavam mais a prepotência intelectual da Sheila. Prepararam uma.

Chamaram o Flávio Augusto para lhe dar instruções. Sem a Sheila saber, treinaram o Flávio Augusto. Fizeram várias reuniões com ele, ensaiando o que ele iria dizer. Na hora certa, quando a Sheila menos esperasse. Para arrasar.

A hora certa chegou. Um jantar na casa dos Pedroso, toda a turma reunida e mais um professor visitante, um cenário perfeito para a Sheila brilhar. E a Sheila brilhou. Sentada ao lado do professor, dominou a conversa desde o começo do jantar. Desde a entrada fria. Até que, depois da sobremesa e antes do café, com a Sheila expondo com entusiasmo uma teoria para o professor, apenas para o professor, pois era claro que os outros da mesa não tinham a menor capacidade para entendê-la e estavam ali só como ouvintes e figurantes, o Oscar fez um sinal para o Flávio Augusto e o Flávio Augusto levantou um dedo. E disse:

— Meu bem...

Sheila parou no meio de uma frase. Ficou de boca aberta. Era inacreditável. Alguém a interrompera. Alguém tivera a ousadia de interrompê-la. Menos do que alguém: o Flávio Augusto. O Flávio Augusto! E ele estava a ponto de continuar.

— Eu...

— Quer fazer o favor, Flávio Augusto?!

Desta vez os protestos foram de todos. E os pedidos para que ela deixasse o Flávio Augusto falar foram veementes. Estavam todos bem ensaiados. E Sheila teve que ceder, resignada a mais um vexame do marido.

— Está bem, fala.

— Eu acho que você está enganada.

Sabe aquela pintura do Munch? A mulher gritando na ponte? O grito silencioso da Sheila foi parecido. O Flávio Augusto — o Flávio Augusto! — dizendo que...

— Eu estou enganada, Flávio Augusto?!

E então Flávio Augusto deu a estocada, conforme o combinado.

— Você não está vendo a coisa holisticamente.

É difícil descrever a expressão no rosto de Sheila, então. Não era só choque. Era como se ela tivesse caído por um alçapão e estivesse solta no ar, sem reconhecer nada à sua volta. Falta aguda de coordenadas. E ainda por cima... Sim, tinha um ainda por cima.

Oscar virou-se para o professor e perguntou:

— O que o senhor acha?

E o professor, sorrindo, para Sheila:

— Acho que vou ter que concordar com seu marido.

Sheila despencando. Sheila solta no espaço. E todos na mesa se congratulando com o olhar. "Holisticamente" era demais. "Holisticamente" era genial. Na saída, no elevador, pela primeira vez em muitos anos a Sheila pegou no braço do marido. Mais tarde, Flávio Augusto contou que o "holisticamente" tinha melhorado até a vida sexual dos dois.

Contos rápidos

Nervinho

Aquela conversa de travesseiro, “Quem é o meu quindinzinho?”. “Sou eu. Quem é a minha roim-roim-roim?” “Sou eu”, e ele inventou de dizer que jamais se separariam e que ele seria, para ela, como aquele nervinho da carne que fica preso entre os dentes, e ela disse “Credo, Oswaldo, que mau gosto!”, e saiu da cama e depois nunca mais. Acabou por metáfora errada.

Pressentimento

Linda, um amor, quase se casaram, mas ela se chamava Duzineide e ele pressentiu que teria problemas com os sogros.

No elevador

Conto erótico. "Lambo você todinha", disse o homem no ouvido da mulher, no elevador. A mulher firme. Silêncio. No décimo andar, o homem falou de novo. "Lambo... Palavra engraçada, né?" Nunca tinha se dado conta. Está bem, mais ou menos erótico.

Bolo

Sete de cada lado, as mulheres assistindo, todos com barriga e pouco fôlego, menos o Arruda. O Arruda em grande forma. Magro, ágil, boa cabeleira. Cinqüenta anos, e brilhando. Foi depois de o Arruda dar um passe para ele mesmo, correr lá na frente como um menino, chutar com perfeição e fazer o gol, para delírio das mulheres, que todo o time correu para abraçá-lo. Que gol! O Arruda era demais. Empilharam-se em cima do Arruda. Apertaram o Arruda. Beijaram o Arruda. O Arruda depois diria que alguém tentara morder a sua orelha. Quando o Arruda quis se levantar para recomeçarem o jogo, não deixaram. Derrubaram o Arruda outra vez. Quando ele parecia que estava conseguindo se livrar dos companheiros, veio o time adversário e também pulou no bolo para cumprimentar o Arruda. O Arruda acabou tendo que sair de campo, trêmulo, amparado pelas mulheres indignadas, enquanto o jogo recomeçava, agora só com os fora de forma. Na hora do churrasco, o Arruda ainda não estava totalmente recuperado da comemoração, para aprender.

A comadre

O veraneio terminou mal. A idéia dos dois casais amigos, amigos de muitos anos, de alugarem uma casa juntos deu errado. Tudo por culpa do comentário que o Itaborá fez ao ver a Mirna, a comadre Mirna, de biquíni fio dental pela primeira vez. Nem tinha sido um comentário. Mais um som indefinido.

— Omnahnmon!

Aquilo pegara mal. A própria Mirna sorrira sem jeito. O compadre Adélio fechara a cara, mas decidira deixar passar. Afinal, era o primeiro dia dos quatro na praia, criar um caso naquela hora estragaria tudo. Eram amigos demais para que um simples deslize — o som fora involuntário, isto era claro — acabasse com tudo. E, ainda por cima, a casa já estava paga por um mês.

Naquela noite, no quarto, a Isamar pediu satisfação ao marido.

— Pô, Itaborá. Qual é?

— Não pude controlar, puxa.

— Na cara do Adélio!

— Eu sei. Foi chato. Mas saiu. Que que eu posso fazer?

— Nós conhecemos a Mirna e o Adélio há o quê? Quase dez anos.

— Mas eu nunca tinha visto a bunda da Mirna.

— Ora, Itá!

— Não. Entende? A gente pode conviver com uma pessoa dez, 20 anos, e ainda se surpreender com ela. A bunda da Mirna me surpreendeu, é isso. Me pegou desprevenido.

— Vai dizer que você nunca nem imaginou como era?

— Nunca. Juro. Nem me passou pela cabeça. E de repente estava ali, toda... Sei lá. Toda ali.

— Pois vê se te controla.

Pelo resto do veraneio o Itaborá fez questão de nem olhar para o fio dental da comadre. Quando os quatro iam para a praia, se apressava a caminhar na frente. Se por acaso as nádegas da comadre passassem pelo seu campo de visão, olhava para o alto, tapava o rosto com o jornal, assobiava.

Um dia, o Itaborá e o Adélio sentados no quintal, a Mirna recém servira a caipirinha, de biquíni, e se dirigia de volta para a casa, e o Itaborá suspirou.

— Que foi? — perguntou o Adélio, agressivo.

— Essa política econômica — disse o Itaborá. — Sei não. Não levo fé.

— Ah — disse o Adélio.

Até o fim do veraneio ficou aquela coisa chata entre os quatro. O Itaborá não podia tossir que todos o olhavam, desconfiados.

O Mendoncinha

Estou me acostumando com a idéia de considerar cada ato sexual como um processo em que, no mínimo, quatro pessoas estão sempre envolvidas.

Sigmund Freud

— Tente relaxar...

— Desculpe. É que tem uma parte de mim que, entende? Fica de fora, distanciada, assistindo a tudo. Uma parte que não consegue se entregar...

— Eu entendo.

— É como se fosse uma terceira pessoa na cama.

— Certo. É o seu superego. O meu também está aqui.

— O seu também?

— Claro. Todo mundo tem um. O negócio é aprender a conviver com ele.

— Se ele ao menos fechasse os olhos!

— Calma. Eu sei como você se sente. Nestas ocasiões, sempre imagino que a minha mãe está presente.

— A sua mãe?

— É. Ela também está conosco nesta cama.

— Você se analisou?

— Estou me analisando. Pensando bem, ele também está aqui.

— Quem?

— O meu analista. Nesta cama. Meu Deus, ao lado da minha mãe!!

— Meu pai está aqui...

— Seu pai também?

— Meu superego e meu pai.

— O superego e o pai podem ser a mesma pessoa. Será que um não acumula?

— Não, não. São dois. E não param de me olhar.

— Mas sexo é uma coisa tão natural!

— Diz isso pra eles.

— Na verdade, não é mesmo? Nem nós somos só nós. Eu sou o que eu penso que sou, sou como você me vê...

— E a gente também é o que pensa que é para os outros.

— Quer dizer: cada um de nós é, na verdade, três.

— Quatro, contando com o que a gente é mesmo.

— Mas o que a gente é *mesmo*?

— Sei lá. Eu...

— Espere um pouco. Vamos recapitular. Do seu lado tem você, aí já são no mínimo três pessoas, o seu superego, o seu pai...

— Do seu lado, vocês três, a mãe de vocês e o analista.

— E o meu superego.

— E o seu superego.

— Mais ninguém?

— O Mendoncinha.

— Quem?!

— Meu primeiro namorado. Foi com ele que...

— Espera um pouquinho. O Mendoncinha não.

— Mas...

— Bota o Mendoncinha para fora desta cama.

— Mas...

— Ou sai o Mendoncinha, ou saímos eu e a minha turma!

Flagrante de praia

Ela (jovem, linda, sozinha) acabou de passar óleo para bronzear nos braços, depois de passar nas pernas, no colo e no rosto. Olhou em volta. A poucos metros dela, sentado na areia, um homem lia um jornal. Ninguém mais por perto. Ela examinou o homem com cuidado. Tinha aliança? Tinha. Casado. Seus 30, 35 anos. Não era feio, apesar do nariz um pouco comprido. Ela falou:

— Por que você estava me olhando?

Ele virou-se para ela, surpreso.

— Falou comigo?

— Por que você estava me olhando?

— Perdão. Eu não estava olhando para você.

— Por que não?

Ele riu, sem saber o que dizer. Ela continuou:

— O que você está querendo?

— Eu? Nada.

— Tem certeza?

— Eu posso lhe assegurar que...

— Nada mesmo?

— Nada. Juro.

— Você não estava imaginando que o destino deve ter nos colocado aqui, lado a lado na mesma praia, com alguma intenção? Você nem sonhou em me dirigir a palavra? Em me convidar para um programa? Em começar um caso?

— Não. Juro que não.

— Você me acha repelente?

— Não! O que é isso. É que...

Lá vem confidência, pensou ela. Ele vai me dizer que é homossexual. Ou impotente ou, meu Deus, que a mulher dele morreu ontem! Mas ele apenas disse:

— Olhe, a última coisa que eu quero no momento é um envolvimento emocional, entende? Não me leve a mal. Você é uma garota muito atraente, mas eu simplesmente não estou a fim.

Perfeito, pensou ela. Só mais uma pergunta.

— A sua mulher está por perto?

— A minha mulher? Não.

Perfeito. Ela levantou-se, caminhou até onde ele estava, sentou ao seu lado e pediu:

— Me passa óleo nas costas?

Falando sério

Ele disse:

— Ora, reforma agrária...

Ela disse:

— Vai dizer que você é contra?

Ele tentou cair fora:

— O assunto é muito complexo.

Ela insistiu:

— Espera um pouquinho.

— Dá um beijo, vai.

— Espera. Isto é importante. Eu quero saber.

— O quê?

— A reforma agrária. Você é contra?

— Por quê? Você é a favor?

— Mas só sou.

— Você quer que o velho divida as terras dele?

— Seu pai é latifundiário?

— Tremendo lati.

— Eu não sabia!

— Tem muita coisa a meu respeito que você ainda não sabe, boneca. Vem cá que eu te mostro...

— Espera. Falando sério.

— Dá uma beijoca.

— Falando sério, pomba.

— Está bem. O que você quer saber?

— Seu pai. Quantos hectares ele tem? Ou acres? É acres ou hectares?

— E eu sei? Nunca fui lá.

— Quantos?

— Um monte.

— Mais ou menos?

— Olha, eles pegam o jipe da fazenda e, num dia, não conseguem chegar ao fim das nossas terras.

— Meu Deus do céu!

— É que o jipe quebra sempre. Dá um beijo, poxa.

— Pára.

— Vem cá, mulher!

— Não vou. Olha, nunca pensei, viu?

— O quê? Que meu velho fosse fazendeiro? Como é que você pensa que eu tou pagando a faculdade? E o carro? E o apartamento? E as nossas alianças de noivado?

— Ele tem terra improdutiva?

— Tem. Exatamente a parte que ele está guardando pra me dar quando eu casar. A nossa terra, amor.

— Mas... E o seu discurso?

— Bom...

— Até eu achava radical. E olha que eu sou meio PT.

— Não vamos brigar por causa disto.

— Tudo o que você vive dizendo. Justiça social...

— Confere.

— A insensibilidade dos ricos no Brasil.

— Mantenho.

— Os escândalos dos sem-terra num país deste tamanho.

— Sustento.

— Vem cá. Outra noite, aqui mesmo, neste bar, você disse que toda propriedade é um roubo. Eu achei bacanérrimo.

— Foi uma frase que me ocorreu na hora. Mas escuta...

— E agora vem dizer que é contra a reforma agrária.

— Eu não sou contra a reforma agrária. Teoricamente, sou a favor.

— E então?

— Você não entende? Agora não é teoria. Agora são as terras do velho!

Carlinhos, Carlinhos

Os três lado a lado no avião. A mulher no meio. As primeiras escaramuças por espaço. A mulher se posicionando, estabelecendo seu perímetro. Vou botar meus cotovelos aqui para eles botarem os deles atrás, assim na hora da comida a vantagem é minha. Este senta com as pernas abertas, se encostar o joelho na minha perna, eu... Iiiih, já está se preparando para dormir. Melhor. Assim ele não come. Menos um cotovelo na briga. E este aqui? Quanto tempo até ele puxar conversa? Já me examinou bem, nem disfarçou. Deve ser do tipo que...

— Quer um jornal?

Menos tempo do que eu esperava, pensou a mulher.

— Não, obrigada.

— São apertados estes bancos, né?

— Horríveis.

— Vai pra Porto Alegre?

— Vou.

— Que pergunta cretina! Se não fosse, não estaria neste avião, não é mesmo? Carlinhos, Carlinhos.

A mulher levou algum tempo para entender que Carlinhos era o nome dele. Ele estava se repreendendo pela cretinice. Depois, repetiu em outro tom, terno, como se o nome lhe lembrasse alguma coisa:

— Carlinhos...

Depois, para horror da mulher, contou que estava indo a Porto Alegre para enterrar a mãe. A mulher ficou em pânico. Pensou em aceitar o jornal, para interromper a conversa. Qualquer coisa para evitar os detalhes. Aeromoça, eu quero outro assento! Eu desisti da viagem! Me tira daqui! Tarde demais. O avião já estava decolando e ele já estava contando, com os olhos cheios de lágrimas:

— Foi esta noite. De repente. Coração. Minha irmã telefonou de madrugada. Era uma mulher moça. Ainda não tinha 80 anos.

— Sinto muito.

— O que se vai fazer? É a vida.

A mulher concordou que era a vida. Carlinhos pareceu se consolar com isto e mudou de assunto. Quando serviram as bandejas com o almoço, ele já tinha contado tudo a seu respeito. A mulher nem desconfiava que alguém pudesse fazer carreira em o que mesmo? Interruptores. Carlinhos precisou levantar a bandeja e a mesinha, ameaçando derramar Coca Light nela, para tirar da carteira um cartão com o nome dele e, embaixo, "Interruptores". Para ela acreditar.

Carlinhos comeu tudo da sua bandeja e mais a sobremesa que ela não quis, repetiu a Coca Light, deu um arroto que ele mesmo recebeu com um severo "Carlinhos!", como se fosse a própria mãe, e perguntou:

— Você tem algum programa para hoje?

A mulher, incrédula:

— Mas hoje não é o enterro da sua mãe?

— Que mãe? Ah, não. O enterro vai ser às cinco. Às cinco e meia deve estar tudo liquidado. A gente pode jantar e...

— Não!

— Epa!

Carlinhos se assustou com o tom do "não".

— E tem outra coisa — disse a mulher.

— O quê?

— Você só soube que sua mãe tinha morrido esta madrugada, certo?

— É...

— Só comprou a passagem esta manhã.

— Foi... Comprei no aeroporto.

— Então como é que eu, que reservei há uma semana, estou no meio e você está na ponta?

— Sei lá.

— Pois é.

Os dois ficaram em silêncio, o Carlinhos olhando para ela e ela olhando para a frente. Finalmente, Carlinhos falou:

— Quem sabe só um drinque?

— NÃO!

Carlinhos não disse mais nada. Para ela. Porque pelo resto da viagem ficou dizendo para si mesmo "Carlinhos, Carlinhos", num tom entre o crítico (que foi que você aprontou desta vez?) e o carinhoso (pobre de mim, pobre de mim).

E, como se não bastasse isso, o homem do outro lado, fingindo que dormia, não parava de encostar o joelho na sua coxa.

— Ô raça — pensou a mulher.

Aniversário

Ruy e Nara foram para a cama na hora de sempre. Ruy pegou seu livro. Mas a Nara queria conversa.

— Meu bem...

— Mmmmm?

— Sabe que dia é hoje?

— Quinta.

— Do mês.

— Ahn... Dezoito.

— E então?

— Então, o quê?

— Pense bem. É um aniversário.

Meu Deus, pensou o Ruy. Esqueci o nosso aniversário de casamento outra vez, como no mês passado. Mas se tinha sido no mês passado, não podia ser agora. O aniversário dela também não era. Ou era?

— Que aniversário? — perguntou.

— De uma coisa que aconteceu há muitos anos...

— Muitos anos?

— Antes do nosso casamento.

— Não consigo me lembrar.

— No sofá da minha casa...

— No sofá da sua casa?

— Lembrou agora?

Seria possível? A Nara dera para aquilo, agora. Ele forçou um sorriso, fez um ruído indefinido e voltou à sua leitura. Mas ela insistiu.

— Meu bem...

— Mmmmm?

— Vamos comemorar?

— Vamos — suspirou o Ruy, colocando o livro sobre a mesa-de-cabeceira.

Virou-se para a mulher. Os dois se beijaram. Depois Ruy pegou o livro outra vez. Nara protestou:

— Mas só isso?

— Só isso o quê?

— Só um beijo, Ruy?

— Se eu me lembro, naquele dia foi só um beijo.

— Sim, mas...

— Eu insisti, mas você não quis.

— Mas Ruy!

— Eu não insisti? Não pedi mais do que um beijo? E o que foi que você disse?

— Eu disse "não".

— Suas exatas palavras. "Não."

— Mas depois eu deixei, Ruy.

— Dois meses depois. Dois meses e meio!

— Ah, Ruy...

— Não.

— Então vamos comemorar o que aconteceu dois meses depois.

— Eu, nessas coisas, sou ortodoxo. Aniversário é no dia!

Batalha

Ninguém entendeu quando o Jorge e a Gisela voltaram da lua-de-mel separados e, em vez de constituírem um lar, constituíram advogados. Afinal, a não ser por alguma revelação insólita — um descobrir que o outro não era do sexo que dizia ser, ou era tarado, ou era, sei lá, um vampiro —, nada que acontece ou deixa de acontecer numa viagem de núpcias é tão terrível que não possa ser resolvido com tempo, compreensão ou terapia. E o sexo não poderia ter sido tão desastroso assim.

— Não, não — disse o Jorge. — O sexo foi ótimo. O problema foi outro.

— Qual?

— Batalha-naval.

O sexo tinha sido tão bom que Jorge e Gisela ficaram uma semana sem sair da cama. Mas o amor, como se sabe, é como marcação sob pressão no futebol. Por mais bem preparados fisicamente que estejam os jogadores, eles não podem marcar sob pressão os 90 minutos.

E foi para preencher os intervalos entre o sexo que o Jorge propôs a Gisela que jogassem batalha-naval. Tinham o que era preciso no quarto, papel e lápis. Qualquer borda reta serviria como régua para fazerem os quadradinhos. Não precisavam sair da cama. E o vencedor poderia escolher a forma como se amariam, depois da batalha.

— Jota 11.

— Água. Bê quatro.

— Outro submarino.

— Viva eu!

Quem passasse pela porta do quarto dos recém-casados e ouvisse aquilo não entenderia o que acontecia lá dentro. Jorge e Gisela, nus sob os lençóis, um atirando seus mísseis imaginários sobre a frota do outro. Gisela, estranhamente, acertando mais do que Jorge. Que já tinha perdido dois submarinos e um cruzador quando finalmente acertou um disparo.

— Agá nove — cantou Jorge.

— Ih... — lamentou-se Gisela — Parte do meu porta-aviões.

— Arrá! — gritou Jorge, triunfante.

— Ele 12 — tentou Gisela.

— Água, água — disse Jorge, ansioso para terminar o serviço no porta-aviões inimigo. — Agá dez!

— Água. Dê 13...

— Água. Agá oito...

— Água. Efe dois...

— Água. Gê nove.

— Água. Ele seis.

— Água. I nove!

— Água. Ene...

— Espera um pouquinho. Como, água?

— Água. Você acertou na água.

— Você me disse que agá nove era parte do seu porta-aviões.

— E é.

— Mas eu disparei em volta do agá nove e não acertei mais nada.

— Exatamente. Só acertou água.

— E onde está o resto do seu porta-aviões?

— E eu vou dizer? Engraçadinho! Tente adivinhar.

Jorge estava de boca aberta. Quando conseguiu falar, foi com a voz de quem acaba de encontrar uma nova forma de vida e tem medo de provocá-la.

— Deixa ver se eu entendi. O seu porta-aviões não está todo no mesmo lugar...

— Claro que não! Eu divido em quatro partes, e boto uma bem longe da outra. Assim fica mais difícil de atingir.

Os amigos concordaram que seria perigoso ficar casado com uma mulher que esquartejava e espalhava o seu porta-aviões. Por melhor que fosse o sexo, era preciso pensar no resto da vida, quando os intervalos ficariam cada vez maiores. Jorge nem chegou a contar que os submarinos da Gisela não constavam do diagrama da sua frota. Segundo ela, estavam submergidos, podiam estar em qualquer lugar, nem ela saberia onde encontrá-los. Era melhor pedir o divórcio.

Fantástico, os olhos de bóxer

Discordavam sobre coisas pequenas. Mas nunca tinham brigado de verdade. Até que um dia...

Um dia (era domingo) ele ligou a televisão para ver um programa de debate esportivo e ela disse que queria ver o *Fantástico*. Ele olhou para ela, meio confuso.

— Como, *Fantástico*?

— *Fantástico, o show da vida.*

— Sim, minha filha, mas...

— E outra coisa, não me chame de sua filha.

Ele tinha 34 anos, ela tinha 29. Estavam casados há oito anos. Tinham dois filhos, Denise, de seis, e Júnior, de quatro. Uma irmã dela, asmática, morava junto. Havia um acordo tático: domingo, ele escolhia os programas na televisão. E sempre via o debate esportivo.

— Que é que há? — perguntou, desconfiado.

— Não há nada, eu quero ver *Fantástico, o show da vida*, só isso.

— Eu também — disse, timidamente, a cunhada asmática, que sempre sentava numa das cadeiras da mesa de jantar para ver televisão. Ficava apoiada com um braço fino sobre a mesa. No centro da mesa, havia um prato de louça com frutas artificiais.

Ele olhou para a cunhada, de boca aberta, depois para a mulher. Era preciso pensar antes de reagir. Era um homem razoável, nunca tinham brigado antes. Só por coisas pequenas.

— Mas domingo eu sempre vejo o meu programa.

— Hoje eu quero ver o *Fantástico.*

— Eu também — repetiu a cunhada, com mais força.

Ele ficou de pé num salto. Como se tivesse tomado a decisão de acabar de uma vez por todas com aquela bobagem. Com aquele motim. Afinal, o que é que estavam pensando? Mas não tinha nada para dizer e sentou-se em seguida com cara de assunto encerrado. Como se só o seu gesto de ficar de pé já tivesse restabelecido a hierarquia do domingo, e estava acabado. Mas a mulher caminhou ameaçadoramente para o aparelho de televisão. Era preciso pensar depressa.

— Minha filha...

— Não me chame de sua filha.

Ela nem virara a cabeça para dizer isto. Abaixava-se para girar o seletor de canal. Ele sentiu que aquele era o momento definitivo do seu casamento.

— Não toque nesse botão.

A mulher hesitou, depois tocou no botão. Mas não o girou. A mulher ficou imóvel. Ele reforçou a sua ordem com uma ameaça vaga mas firme.

— Se você virar esse botão, não sei não.

— Vira! — disse a cunhada, com surpreendente autoridade.

Ele ergueu-se outra vez, desta vez devagar, como se temendo que qualquer movimento mais brusco pudesse precipitar os acontecimentos.

Ele podia até levar uma maçã artificial pelas costas, tudo era possível. Recuou até ficar de frente para as duas irmãs. Apontou para a mulher.

— Afaste-se dessa televisão.

"Afaste-se." Nunca falara assim antes. A gravidade da situação impunha uma certa solenidade à linguagem. Falava como filme dublado na televisão.

A mulher endireitou-se. Olhou para a irmã. Sem se falarem, sem qualquer sinal, mas como se tudo estivesse previamente combinado, "se ele resistir, a gente pega e...", as duas caminharam na direção da cozinha. Ele sentiu que sua vitória precisava ser consolidada. Era frágil ainda, o inimigo mantinha a iniciativa. E a vantagem do fator surpresa. Elas já tinham desaparecido pela porta da cozinha, quando ele gritou:

— E quero meu jantar em seguida!

Durante dois, três minutos, ele ficou imóvel, encostado no guarda-louça, tentando decifrar os sons que vinham da cozinha.

O seu coração batia. Era um homem razoável, não gostava de briga. Casara com ela por causa de seu gênio dócil, submisso. Aqueles olhos de cachorro bóxer... A Denise estava no seu quarto. O Júnior dormia. Ele não fazia um movimento, encostado no guarda-louça, esperando a reação das duas irmãs.

E de repente, ele se lembrou. Meu Deus! É o aniversário dela! Eu me esqueci por completo! Precipitou-se na direção da cozinha, ensaiando o seu pedido de desculpas. "Minha filha..."

O almoço fora galinha. O que sobrara da galinha seria servido à noite, frio, com salada. Ele ainda não tinha chegado na porta quando viu passarem por ele, em formação como uma esquadrilha, vários pedaços de galinha, arremessados da cozinha. Parou onde estava, de olhos arregalados. Segundos depois uma porção de salada também atravessava a sala e ia espalhar-se no chão, em frente à televisão.

Quando, meia hora depois, as mulheres voltaram para a sala para investigar o silêncio, o encontraram ainda de pé, os olhos arregalados, olhando fixo para uma Santa Ceia na parede. Chamaram um primo que era médico. Ela pediu desculpas ao marido, a cunhada chorava de remorso, mas quando ele voltou a si e viu as duas ao lado da cama, encolheu-se para junto da parede como quem acaba de ver um monstro no quarto.

Ele tirou licença da repartição, passou 40 dias em casa, de pijama, vendo televisão. Quem escolhia os programas era a mulher. Até aos domingos. Ela escolhia o *Fantástico* e ele ficava olhando para as duas irmãs durante todo o programa com cara de quem quer compreender.

Fuga

— Edgar, vê lá, hein?

O Edgar era famoso pelas suas gafes. Embora as negasse.

— O que é isso? Pode deixar.

A mulher ficava em pânico. Depois, contando para os outros, ela ria. "O Edgar fez outra das dele." Mas na hora ficava em pânico.

— Edgar, pelo amor de Deus...

— Mas que bobagem!

— O Flores e a Noca acabaram de se reconciliar. Ela teve um romance com um violoncelista alemão, fugiu de casa, viveu um ano e meio com o alemão em Munique, mas voltou e agora eles estão juntos de novo. Não fala nem em alemão, nem em violoncelo. Pelo amor de Deus, Edgar!

— Pode deixar.

Na chegada, quando o Flores abriu a porta, o Edgar exclamou:

— Ô, Flores! Cê sempre teve cabelo dessa cor?

— Não. Entrem, entrem. Como vão?

A caminho da sala, a mulher ainda conseguiu dar um beliscão na manga do casaco do Edgar e dizer, entre dentes:

— É pe-ru-ca.

— Que peru?

— Pe-ru-ca, Edgar!

— Ah.

Durante o jantar, tudo bem. A mulher sentiu um frio na barriga quando viu o Edgar examinando o rótulo do vinho alemão. Mas o Edgar só sorriu para a anfitriã, a Noca, e comentou, sem qualquer maldade:

— Coisa muito boa, hein?

"Agora ele vai perguntar se a Noca trouxe da Alemanha, na volta", pensou a mulher, mas o Edgar ficou firme. A mulher respirou, aliviada.

Aconteceu depois do jantar, quando o Flores quis exibir seu novo *laser* e colocou um disco. Bach. Cordas. Se fosse um concerto de violoncelo, diria a mulher, depois, no carro, para o Edgar, ainda vá. Mas mal se ouvia o violoncelo. E no entanto o Edgar dissera:

— Eu me amarro num violoncelo.

Dissera mais:

— Sou tarado por violoncelo.

E mais:

— O que esse alemão safado faz com um violon...

— Edgar!

A mulher tinha se levantado da poltrona. O Edgar levou um susto.

— Que foi?

— Me lembrei! Eu deixei o forno aceso! Temos que voltar para casa!

— Mas...

— Agora mesmo!

No carro, ela não quis ouvir desculpas. O Edgar ainda tentou.

— Ela fugiu com o Bach? Não fugiu.

Mas a mulher não queria conversa. O Edgar ainda a matava.

Diálogo

Toca a campainha e o homem vai abrir a porta, não sem antes dar um passo de dança. Na porta está uma mulher. No caso, "mulher" é eufemismo. Ela é mais do que isto. Se Deus fosse mandar uma amostra do seu trabalho para concurso, mandaria ela. Preciso me lembrar desta frase para dizer depois, pensa ele.

— Alô — diz ela.

— Alô. Entre.

Ela entra e olha em volta.

— Eu sou a primeira?

— Não. Desde os 15 anos que eu... Ah, você quer dizer a primeira a chegar. É, é.

— Bonito, seu apartamento.

— Depois que você chegou ele ficou.

— O quê?

— Bonito.

— Mmmm.

Que diálogos, pensou ele. Que diálogos! A noite prometia.

— Me dê seu casaco, sua bolsa...

Ela dá. Ele fica parado ao seu lado. Ela diz:

— Eu não vou tirar mais nada...

— Ah. Certo, certo.

Ele vai guardar o casaco e a bolsa. Ela examina a sala do apartamento. Em cima da mesa de centro há um balde com uma garrafa de champanhe em água gelada e dois copos compridos. O homem volta. A mulher diz:

— Você não falou que ia ter uma festa?

— Onde você estiver, é uma festa.

— Mas você disse que haveria convidados.

— Sim.

— Eu só vejo dois copos.

— *Yes.*

— E os outros?

— Que outros?

— Os outros convidados.

— Mmm. Sim. Bem. Se eles chegarem, eu...

— "Se"? Quer dizer que eles podem não vir?

— Pode ter havido um esquecimento.

— Eles podem ter se esquecido de vir à festa?

— Ou eu posso ter esquecido de convidar...

— Já vi tudo. A *festa* é só nós dois.

— Eu prefiro grupos pequenos. Você não?

Que *timing*. Que marcação. E não tem ninguém gravando isto! A mulher sorri e rodopia no meio da sala. Seu vestido branco esvoaça. Que pernas, que noite! Ele serve champanhe para os dois. Ela fala.

— Vou avisando uma coisa...

— O quê?

— Esta noite eu sou a Cinderela.

— Cinderela? Por quê?

— Até a meia-noite me comportarei como uma dama...

Ele ensaia um passo, arqueia uma sobrancelha e pergunta:

— E à meia-noite?

Ela o afasta com a mão.

— À meia-noite eu saio correndo.

— Não há por que se preocupar. Se você é Cinderela, eu serei seu servo, seu cocheiro, seu escravo.

— Então me serve mais champanhe, servo.

Ele serve, pensando: "Tomara que ela diga que as bolinhas do champanhe fazem cócegas no seu nariz...".

— As bolinhas do champanhe fazem cócegas no meu nariz...

— Isso eu também faço e não sou champanhe.

— O quê?

— Cócegas no seu nariz.

— Não entendi.

— Esquece, esquece.

Não se pode acertar todas, pensa ele.

— Você não quer conhecer a minha biblioteca? — pergunta.

— Quero.

— Venha. Traga o seu copo.

— Mas, espere... Ali é o seu quarto.

— Minha biblioteca fica no quarto. Os dois livros, ao lado da cama.

— Então traga para cá.

— A cama?

— Os livros.

Ele a enlaça pela cintura. Rodopiam juntos, depois caem no sofá. Ele pega a garrafa de champanhe e serve mais um pouco.

— Acho que você está querendo me embebedar...

Quem diz isto é ele.

— Se você já abriu o champanhe agora, o que é que nós vamos abrir à meia-noite? — pergunta ela.

— Talvez um zíper ou dois...

Preciso me lembrar de tudo isto para contar depois, pensa ele. De algum lugar do apartamento vem a voz de Frank Sinatra.

— É meia-noite.

— Como é que você sabe?

— Meu cuco.

— Pensei que fosse o Frank Sinatra...

— A imitação não é perfeita? Ele usa até o mesmo tipo de chapéu.

Ela tenta levantar do sofá.

— Hora de ir embora...

— Daqui você não sai, Cinderela.

— Mas você não disse que era o meu servo?

— Disse.

— Pois eu estou ordenando que você me leve para casa.

— Não.

— Por que não?

— Porque bateu a meia-noite e eu me transformei num rato! Feliz Ano-Novo.

Meia hora depois, ela está nua, embaixo dos lençóis, e ele está numa mesa do quarto, escrevendo.

— Você não vem? — pergunta ela.

— Só um pouquinho. Estou tomando umas notas para não esquecer nada depois. Quando você falou que o champanhe fazia cócegas no nariz, o que foi que eu disse mesmo?

A frase

O melhor texto de publicidade que eu já vi era assim: uma foto colorida de uma garrafa de uísque Chivas Regal e, embaixo, uma única frase: "O Chivas Regal dos uísques".

O anúncio é americano. Em algum anuário de propaganda, desses que a gente folheia nas agências em busca de idéias originais na esperança de que o cliente não tenha o mesmo anuário, deve aparecer o nome do autor do texto. No dia em que eu descobrir quem é, mando um telegrama com uma única palavra. Um palavrão. Que tanto pode expressar surpresa quanto admiração, inveja, submissão ou raiva. No meu caso, significará tudo ao mesmo tempo. Palavrão PT Segue carta explosiva PT Abraços etc.

Duvido que o autor da frase receba o telegrama. O cara que escreveu um anúncio assim não recebe mais telegramas. Não atende mais nem à porta. Não se mexe da cadeira. Não lê mais nada, não vê televisão, não vai a cinema e fala somente o indispensável. Passa o dia sentado, de pernas cruzadas, com o olhar perdido. Alimenta-se de coisas vagamente brancas e bebe champanhe *brut* em copos de tulipa. Com um leve sorriso nos cantos da boca.

Foi o sorriso que finalmente levou sua mulher a pedir o divórcio. Ela agüentou tudo. O silêncio, a indiferença, as pernas cruzadas, tudo. Mas o sorriso foi demais.

"Bob (digamos que o seu nome seja Bob), você não vai mais trabalhar?"

Sorriso.

"Nunca mais, Bob? Há uma semana que você não sai dessa cadeira."

Sorriso.

"Bob, o Bill disse que o seu lugar na agência está garantido, quando você quiser voltar. Mas eles não podem continuar pagando se você não voltar."

Sorriso.

"As crianças precisam de sapatos novos. O aluguel do apartamento está atrasado. Meu analista também. Nosso saldo no banco se foi com a última caixa de champanhe que você mandou buscar."

Sorriso.

"Sabe o que estão dizendo na agência, Bob? Que o seu texto para o Chivas Regal foi pura sorte. Que foi genial, mas você não faz dois iguais àquele. Você precisa ir lá mostrar para eles, Bob. Faça alguma coisa, Bob!"

Bob fez alguma coisa. Descruzou as pernas e cruzou outra vez. Sorrindo.

A mulher tratou do divórcio sozinha. Na hora das despedidas, ele inclinou-se levemente na poltrona para beijar as crianças, mas não disse uma palavra. Continua sentado lá até hoje.

Levanta-se para ir ao banheiro, trocar de roupa e telefonar para fornecedores de enlatados e champanhe. Os que ainda lhe dão crédito.

O resto do tempo fica sentado, as pernas cruzadas, o olhar perdido. E o sorriso.

Uma faxineira vem uma vez por semana, limpa o apartamento (há pouco para limpar, ele não toca em nada) e vai embora. Abanando a cabeça. Pobre do Sr. Bob. Um moço tão bom.

Os amigos preocupam-se com ele. A agência lhe faz ofertas astronômicas para voltar. Ele responde a todos com monossílabos e vagos gestos com o copo de tulipa. E todos vão embora, abanando a cabeça.

Contam que a mesma coisa aconteceu com o primeiro homem a escalar o Everest. Para começar, quando chegou ao topo, no cume da montanha mais alta da Terra, ele tirou um banquinho da sua mochila, colocou o banquinho exatamente no pico do Everest e subiu em cima do banquinho! O guia nativo que o acompanhava não entendeu nada. Se entendesse, estaria entendendo o homem branco e toda a história do Ocidente. De volta à civilização, o homem que conquistou o Everest passou meses sem falar com ninguém e sem olhar fixamente para nada. Se tinha mulher e filhos, esqueceu. E tinha um leve sorriso nos cantos da boca.

Você precisa entender que quem escreve para publicidade está sempre atrás da frase definitiva. Não importa se for sobre um uísque de luxo ou uma liquidação de varejo, importa é a frase. Ela precisa dizer tudo o que há para dizer sobre qualquer coisa, num decassílabo ou menos. Tão perfeita que nada pode segui-la, salvo o silêncio e a reclusão. Você atingiu o seu próprio pico.

Bob tem duas coisas a fazer, depois de passada a euforia das alturas. Uma é voltar para a agência, mas com outro *status*. Por um salário mais alto, apenas perambulará pelas salas para ser apontado a novatos e visitantes como o autor da frase, aquela.

"Você quer dizer... *A* frase?"

"A frase."

Outra é começar de novo em outro ramo. Com uma banca de chuchu na feira, por exemplo. Ele não precisa conquistar mais nada, é o único homem realizado do século.

Mas por enquanto Bob só olha para as paredes. De vez em quando, diz baixinho:

"O Chivas Regal dos uísques..."

E aí atira a cabeça para trás e dá uma gargalhada. Depois descruza e recruza as pernas e bebe mais um gole de champanhe.

Amigos

Os dois eram grandes amigos. Amigos de infância. Amigos de adolescência. Amigos de primeiras aventuras. Amigos de se verem todos os dias. Até mais ou menos os 25 anos. Aí, por uma destas coisas da vida — e como a vida tem coisas! — passaram muitos anos sem se ver. Até que um dia...

Um dia se cruzaram na rua. Um ia numa direção, o outro na outra. Os dois se olharam, caminharam mais alguns passos e se viraram ao mesmo tempo, como se fosse coreografado. Tinham-se reconhecido.

— Eu não acredito!

— Não pode ser!

Caíram um nos braços do outro. Foi um abraço demorado e emocionado. Deram-se tantos tapas nas costas quantos tinham sido os anos de separação.

— Deixa eu te ver!

— Estamos aí.

— Mas você está careca!

— Pois é.

— E aquele bom cabelo?

— Se foi...

— Aquela cabeleira.

— Muito Gumex...

— Fazia um sucesso.

— Pois é.

— Era cabeleira pra derrubar suburbana.

— Muitas sucumbiram...

— Puxa. Deixa eu ver atrás.

Ele se virou para mostrar a careca atrás. O outro exclamou:

— Completamente careca!

— E você?

— Espera aí. O cabelo está todo aqui. Um pouco grisalho, mas firme.

— E essa barriga?

— O que é que a gente vai fazer?

— Boa vida...

— Mais ou menos...

— Uma senhora barriga.

— Nem tanto.

— Aposto que futebol, com essa barriga...

— Nunca mais.

— E você era bom, hein? Um bolão.

— O que é isso.

— Agora tá com a bola na barriga.

— Você também.

— Barriga, eu?

— Quase do tamanho da minha.

— O que é isso?

— Respeitável.

— Quem te dera um corpo como o meu.

— Mas eu estou com todo o cabelo.

— Estou vendo umas entradas aí.

— O seu só teve saída.

Ele se dobra de rir com a própria piada. O outro muda de assunto.

— Faz o quê? Vinte anos?

— Vinte e cinco. No mínimo.

— Você mudou um bocado.

— Você também.

— Você acha?

— Careca...

— De novo a careca? Mas é fixação.

— Desculpe, eu...

— Esquece a minha careca.

— Não sabia que você tinha complexo.

— Não tenho complexo. Mas não precisa ficar falando só na careca, só na careca. Eu estou falando nessa barriga indecente? Nessas rugas?

— Que rugas?

— Ora, que rugas.

— Não. Que rugas?

— Meu Deus, sua cara está que é um cotovelo.

— Espera um pouquinho...

— E essa barriga? Você não se cuida não?

— Me cuido mais que você.

— Eu faço ginástica, meu caro. Corro todos os dias. Tenho uma saúde de cavalo.

— É. Só falta a crina.

— Pelo menos não tenho barriga de baiana.

— E isso, o que é?

— Não me cutuca.

— Me diz. O que é? Enchimento?

— Não me cutuca!

— E esses óculos são pra quê? Vista cansada? Eu não uso óculos.

— É por isso que está vendo barriga onde não tem.

— Claro, claro. Vai ver você tem cabelo e eu é que não estou enxergando.

— Cabelo outra vez! Mas isso já é obsessão. Eu, se fosse você, procurava um médico.

— Vá você, que está precisando. Se bem que velhice não tem cura.

— Quem é que é velho?

— Ora, faça-me o favor...

— Velho é você.

— Você.

— Você.

— Você!

— Ruína humana.

— Ruína não.

— Ruína!

— Múmia!

— Ah, é? Ah, é?

— Cacareco! Ou será cacareca?

— Saia da minha frente!

Separaram-se, furiosos. Inimigos para o resto da vida.

Suspiros

Um homem foi procurar uma vidente. Ela leu a sua mão em silêncio. Depois espalhou as cartas na sua frente e as examinou longamente. Finalmente olhou a bola de cristal. E concluiu:

— Você vai morrer num lugar com água.

— Uma banheira?

— Não. Um lugar maior.

— Uma piscina...

— Vejo uma cidade. Água por todos os lados. Em vez de ruas, tem água...

— Veneza!

— Isso.

— Eu vou morrer em Veneza?

— Vai.

— Como?

— Hmmm. Vejo barcos... Gôndolas... Espere! Uma mulher.

— Quem é ela?

— Você não a conhece. Ela aparecerá em sua vida em Veneza. Gôndolas, sim, gôndolas. Alguma coisa refletida nas águas escuras do Grande Canal. É a lua. Uma lua cheia. O gondoleiro canta uma música antiga. Estranho...

— O quê?

— A mulher. Tem uma máscara vermelha. Veste uma capa preta, e uma máscara vermelha tapa o seu rosto.

— Ela não tira a máscara?

— Calma. Tira.

— E então?

— Ela é linda. Seus olhos são roxos. Ela diz uma palavra... Não consigo decifrar...

— Tente.

— É... Aldabar. Isso. Aldabar.

— Aldabar...

— Ela dirá essa palavra três vezes antes do raiar do dia. A primeira no Grande Canal. A segunda sob a Ponte dos Suspiros...

— Continue.

— Vocês chegam a um portão. O luar banha tudo. Há um cheiro de jasmim no ar. Vocês entram num castelo. Vejo mármore. Cristais. Um vulto...

— Quem é?

— Não deu para ver. Vocês sobem uma escadaria.

— Para o quarto?

— É.

— Espere um pouquinho. A palavra...

— Aldabar...

— Aldabar. Ela dirá três vezes?

— É.

— Mas até agora só disse duas.

— Exato.

— Continue.

— Vocês entram num quarto. Há uma cama enorme, banhada de luar. A mulher desaparece sem fazer ruído.

— Onde é que ela foi?

— Estou tentando ver... Está escuro.

— Mas e a lua?

— Desapareceu. Deve ser uma nuvem. Ah, ela voltou.

— A lua?

— E a mulher. Ela é branca. Está nua.

— Sim?

— Ela chama você para a cama. Você a possui. Escureceu outra vez.

— Outra nuvem.

— Agora vejo... Um jardim. Sim, um jardim. Vejo jasmineiros. Vocês estão num jardim. Começa a amanhecer. Vejo um pavão e um chafariz.

— E a mulher?

— Ela está falando. Diz uma palavra. Aldabar...

— Aldabar. A terceira vez...

— É o sinal. Você vai morrer.

— Como?

— Não sei... É confuso.

— Insista.

— Cuidado com corcundas e licores verdes...

O homem, é claro, jamais chegou perto de Veneza depois disto. Continua vivo. Mas de vez em quando suspira e diz:

— O que eu não devo estar perdendo...

Os quarenta

Um dia você recebe pelo correio a comunicação de que foi escolhido como um dos Quarenta. Só isso. Você é um dos Quarenta. Não há outras informações. Quarenta o quê? A comunicação não diz.

Você não liga. Deve ser propaganda. Depois certamente chegará um prospecto com ofertas para você, que é um homem de gosto apurado, um homem que, afinal, pertence ao exclusivo grupo dos Quarenta etc. Talvez seja uma coleção de livros ou uma linha de artigos de toalete, a preços especiais para 40 privilegiados como você.

Mas não. Durante muito tempo você não recebe mais nada. Até esquece o assunto. E um dia recebe pelo correio um cartão bem impresso, em relevo, com seu nome seguido da frase "Um dos Quarenta" e num canto o número 26.

Como o primeiro envelope, este não tem nem o nome nem o endereço do remetente. Aí você se dá conta de que também não há carimbo do correio. O envelope foi entregue diretamente na sua porta.

Você fica intrigado. Pergunta a amigos se eles sabem alguma coisa sobre os Quarenta.

— Quarenta o quê?

Você não sabe. Só sabe que é um deles. Ninguém jamais ouviu falar nos Quarenta. Ninguém das suas relações recebeu nada parecido. Você começa a fazer fantasias. Pertence a uma elite, mesmo que não saiba qual. As 40 pessoas mais... o quê? Não importa. Você é um dos 40 mais alguma coisa do Brasil. Ou será do mundo? Há algo que o distingue do resto da humanidade. Por quê, você não sabe. Quem o escolheu? Também não sabe. Mas não deixa de ser uma sensação boa se sentir um dos Quarenta. Nem todo mundo pode ser um dos Quarenta. Só 40.

Você começa a usar seu cartão dos Quarenta na carteira. Quem sabe? Um dia ele pode servir para alguma coisa.

— Você sabe com quem está falando? Sou um dos Quarenta.

Passam-se meses e chega outra comunicação. Haverá uma reunião dos Quarenta! Você deve aguardar informações sobre local, data, transporte, acomodações...

Sua curiosidade aumenta. Você finalmente vai conhecer a misteriosa irmandade à qual pertence. Quem serão os outros 39?

Mas as informações não chegam. Chega, um dia, um telegrama. Também sem nome ou endereço do remetente. O telegrama diz:

"NÃO VAH REUNIÃO QUARENTA PT EH ARMADILHA".

É brincadeira. Agora você sabe que é brincadeira. Mas que brincadeira boba e cara, com telegramas, cartões em relevo...

No dia seguinte, toca o telefone. É noite, você está sozinho em casa, e toca o telefone. Você atende.

É uma voz engasgada. A voz de um homem agonizante.

— Fuja... — diz a voz, com muito esforço.

— O quê?

— Fuja! Eles estão nos eliminando, um a um...

— Que-quem são eles?

— Não interessa. Fuja enquanto é tempo!

— Mas eu...

— Não perca tempo! Eles me pegaram. Estou liquidado.

— Quem é você?

— O número 25...

Há um silêncio. Depois você ouve pelo fone o ruído borbulhante que faz o sangue quando sobe pela garganta de alguém. Você precisa saber uma coisa. Você grita:

— Quem somos nós?

Mas agora o silêncio do outro lado é completo.

E então você vê que estão tentando forçar a sua porta.

Gaúchos e cariocas

É preciso dizer que estávamos naquela brumosa terra de ninguém, que fica depois do décimo ou 15º chope. Tão brumosa que não dá mais para distinguir entre o décimo e o 15º. Tínhamos sido apresentados no começo da noite mas já éramos amigos de infância. Em poucas horas nossa amizade passara por vários estágios, desde o "leste o livro do Chico?", até as piores confidências, e agora nos comportávamos como confrades, como se nossa amizade fosse mais antiga que nós mesmos. Isto é, estávamos brigando.

— Vocês, gaúchos...

— O que é que tem gaúcho?

— Pra mim gaúcho é tudo veado.

— Não radicaliza.

— Se tem que dizer que é macho, é porque não é.

— Lá no sul se diz que numa briga de gaúcho, paulista, mineiro e carioca, o gaúcho bate, o paulista apanha e o mineiro tenta apartar.

— E o carioca?

— Fugiu.

— Viu só? Pensam que são mais machos que os outros. Diz que as bichas de Paris protestaram porque as bichas cariocas estavam invadindo o seu mercado: "Voltem para o Rio. *Go home*!". Aí as bichas cariocas reagiram: "Ah, é? Então tirem as gaúchas de lá."

— Está aí, fugiram. Mas isso tudo é mágoa porque são os gaúchos que mandam neste país. Vocês estão assim desde que nós amarramos os cavalos ali no obelisco.

— Aliás, essa fixação no obelisco...

— Gaúcho é o único brasileiro sério.

— Sem graça não é sério.

— Só o gaúcho fala português. Essa língua de vocês não existe. Paulista põe "i" onde não tem. Vocês falam chiando. Onde tem um "r" botam dois e onde tem dois botam quatro.

— Vocês falam espanhol errado e pensam que é português!

— Mas o que a gente diz é pra valer. Não é como carioca, que diz uma coisa e quer dizer outra.

— Ah, é?

— É. Quando carioca encontra alguém e diz: "Meu querido!", quer dizer que não se lembra do nome. "Precisamos nos ver" quer dizer "está combinado, eu não procuro você e você não me procura".

— O que vocês não agüentam é que nós, cariocas, somos informais, bem-humorados...

— Isso é mito. Entra num "Grajaú-Leblon" lotado na Nossa Senhora de Copacabana, às três da tarde, no verão, que eu quero ver o bom humor.

— Não radicaliza.

— Os mitos cariocas. O Zico, por exemplo...

— Eu sabia. Eu sabia que ia chegar no Zico!

— O Zico é uma entidade abstrata criada pelo inconsciente coletivo do Maracanã.

— O Campeão do Mundo. Campeão do Mundo!

— Porque não entrou nenhum inglês no calcanhar dele. Se encosta um, o Zico cai.

— É. O bom é o Batista.

— Não troco um Batista por dois Zicos.

— Ai, meu Deus. Ai, meu Deus!

— Outra coisa: mulher.

— Claro. Mulher. A mulher carioca não vale nada.

— Vale. Mas é sempre da mesma cor. Mulher tem que ir mudando de cor com as estações. Quando chega o verão, as gaúchas vão tostando aos poucos, como carne num braseiro de chão, até estar no ponto. Só ficam prontas mesmo em fevereiro. A carioca está sempre bem passada. É como comer churrasco em bandeja.

— É. A medida de todas as coisas, para o gaúcho, é o churrasco. A comida mais sem imaginação que existe.

— Vai dizer que comida é isto que vocês comem aqui?

— Mas bá.

Eu estava levando o chope à boca e parei.

— O que foi que você disse?

— Eu? Nada.

— Você disse "mas bá".

— Não disse.

— Disse. Eu ouvi nitidamente um "mas bá".

— Está bem. Eu disse.

— De onde você é?

— Dom Pedrito.

Estava no Rio há menos de dois anos e chiava como uma locomotiva no cio. Mas não me senti triunfante. Me senti derrotado. Eu estranhara ele não ter dito: "Se você gosta tão pouco do Rio, o que é que está fazendo aqui?". Eu não poderia responder a não ser com a verdade, que era fascinado pelo Rio. Uma característica de gaúcho é que gaúcho é fascinado pelo Rio. E ali estava ele como prova que depois do fascínio vinha a rendição, a vitória carioca. Acabou a discussão. Nos despedimos e saímos, cada um cambaleando para um lado. Na saída ele ainda disse:

— Precisamos nos ver...

Bom provedor

Foi um escândalo quando a Vaninha — logo a Vaninha, tão delicada — apresentou o noivo às amigas. Era um troglodita.

— Não — contou a Ceres, depois. — Não é força de expressão. É um troglodita mesmo. Ele babou na minha frente. Ele babou na minha frente!

O noivo babava. Seu vocabulário era limitado. Duas ou três interjeições e algumas palavras que só a Vaninha entendia e interpretava para os outros.

— Ele disse que tem muito prazer em conhecê-la, mamãe.

— Pensei que estivesse latindo.

É preciso dizer que a Vaninha, coitada, vinha de um casamento malsucedido, com intelectual brilhante mas complicado, e tinha dois filhos para criar. E quando sua mãe, incapaz de se controlar depois de ver o futuro genro tirar o sapato e a meia e coçar a sola do pé na frente de todo mundo, enquanto a Vaninha fingia que não via, disse "Francamente!", respondeu simplesmente:

— Digam o que disserem, ele é um bom provedor.

Para espanto e indignação de todos, Vaninha casou com o troglodita. As amigas se distanciaram dela. Não era possível. O que a Vaninha, logo a Vaninha, formada em História da Arte, vira naquele monstro? Mas um dia, meses depois do casamento, a Ceres encontrou a mãe da Vaninha. E ouviu dela, estarrecida, um elogio ao genro.

— É um bom provedor.

As amigas resolveram investigar. A Ceres, designada como patrulha avançada, foi visitar a Vaninha. Encontrou-a na cozinha da casa de subúrbio para onde se mudara com o troglodita e os dois filhos, retalhando um boi inteiro. O marido estava sentado no chão, num canto da cozinha, chupando um osso. Vaninha explicou que ele só se interessava por um determinado osso do boi. Saía de casa sem dizer para onde ia e voltava com um boi inteiro, ainda quente, sobre os ombros. E salivando com a antecipação do osso. O que sobrava do boi ficava para o resto da família. A Vaninha não perguntava aonde ele ia nem como matava o boi. O importante era que o *freezer* estava cheio de carne. A Ceres não queria levar um pedaço de carne para casa?

Naquela mesma noite o marido da Ceres, Carlos Augusto, um homem elegantíssimo, bem-articulado, campeão de gamão, depois de avisar que era preciso cortar as despesas da casa, que a situação na galeria não estava boa não, ouviu da mulher uma palavra forte e inédita.

— O que foi que você disse, Ceres?

— Imprestável!

A Ceres passou a visitar a Vaninha regularmente. Aliás, todas as amigas da Vaninha foram se reaproximando dela, uma a uma. Passavam a tarde com a Vaninha, conversavam, riam muito, e sempre levavam um pedaço de carne para casa. Comentando que marido era aquele, não o que elas tinham em casa. Babava, mas e daí?

Sentidos

O Gelson explicou que tinha sido inundado pelos sentidos. Foi a palavra que usou: inundado. Entrara na cozinha e a Desilaine, a nova cozinheira, estava fazendo um lagarto na panela com muito alho, como sua mãe fazia, e o aroma era o da sua infância. Pegou um aipim frito que esfriava em cima da geladeira e começou a mastigá-lo, e olfato e paladar, para decidir qual dos dois era mais feliz naquele instante mágico, só numa melhor de três. Ao mesmo tempo a cozinha enfumaçada, com um faixo de luz natural fazendo brilhar as maçãs artificiais da mesa, enchia os olhos de Gelson como uma composição da escola flamenga do século XVII. E como se não bastasse isto, no rádio tocava uma música do Caetano. O único sentido que não acompanhava o êxtase dos outros quatro era o tato, e Gelson olhou em volta, atrás de algo para ocupá-lo. Uma das nádegas da Desilaine cabia, miraculosamente, na palma da sua mão, e a sensação da carne rija através do brim, explicou Gelson, completava maravilhosamente aquela tomada sincronizada das portas da percepção humana. Quando dona Zuleica entrara na cozinha, não flagrara uma prosaica mão na bunda da empregada. Interrompera um *tableau* de plenitude, um momento de sinergia entre memória e experiência que raramente se abre ao Homem, explicou Gelson. Mas dona Zuleica não quis nem saber, despachou a Desilaine e até hoje não fala com o marido, que não pára de lamentar a falta de sensibilidade poética no mundo moderno.

Pelo Ariovaldo

Homem e mulher na cama.

— Foi bom?

— Foi.

— Muito bom ou só bom?

— Francamente, eu...

— Está bem, está bem. Me dá uma nota. De zero a dez, que nota você me dá?

— Sete.

— Sete?!

— Você quer que eu minta, Ariovaldo? Estou sendo franca. Você me pediu uma...

— Peraí. Que foi que você disse?

— Eu disse que estava sendo franca.

— Não, antes. Você disse "Você quer que eu minta, Ariovaldo?".

— É.

— O meu nome não é Ariovaldo!

— Não é?

— Grande. Você me confundiu com outro.

— Se você não é o Ariovaldo, então quem é?

— E eu vou dizer? Com nota sete, eu vou dizer quem eu sou?

— Mas...

— Vamos de novo. Apaga a luz. Vamos lá! Pelo Ariovaldo!

Homem, mulher, essas coisas

O feto começa feminino, depois é que são acrescentados os atributos, digamos assim, masculinos. Por isso nós, homens, temos mamilos e não sabemos o que fazer com eles. Quer dizer: a história biológica do ser humano é exatamente o inverso do seu principal mito de criação, em que a mulher sai de dentro do homem. O mito é não apenas um desmentido do fato, e do feto, como uma apropriação masculina de um feito feminino. Ao pôr o primeiro homem para dormir e retirar sua costela e produzir a primeira mulher, Deus fez uma paródia de parto, reivindicando para os homens, no caso Ele e Adão, a primazia do ato de dar vida. E com anestesia, um detalhe que não deve escapar às mulheres, depois condenadas por Ele a padecer de todas as dores da procriação enquanto o homem, responsável por tudo, só era condenado a folhear *Caras* antigas na sala de espera. Todos os mitos desde os inaugurais, como toda a cultura humana, têm sido masculinos, num contraponto ressentido com a história biológica, verdadeira, feminina, da espécie. Pura inveja.

Freud, que (sendo homem) era suspeito, inventou que a mulher tem inveja do pênis. O homem é que não agüenta a idéia de não estar aparelhado, como a mulher, para se integrar aos grandes dramas reincidentes da Natureza, ovulando de acordo com as fases lunares, gestando, parindo e amamentando filhos e identificando-se com os ciclos de fertilidade da Terra, sentindo as variações de clima e de idade com mais intensidade, e ainda encontrando tempo para ir ao cabeleireiro e dirigir empresas. Enfim, participando. Enquanto ele fica de lado, como um penetra, esperando em vão que a vida o chame para as suas graves verdades e obrigado a inventar uma história paralela de fantasia. Se você concordar que o pênis é o órgão que rege esta história paralela, e que a civilização se explica como uma angústia de potência, o que Freud quis dizer era que a mulher invejava o poder falocrata, ou justamente o que o homem inventou para compensar o fato de não ser mulher. Outro mito usurpador.

Esta manifestação não é paga, não é encomendada e não, não estou pensando em mudar para o outro sexo. É que sempre fui simpatizante.

Família

!

Casa na serra

— Você bateu quando eu estava com a mão cheia, Osni.

— Tá bom. Bati.

— Você sempre faz isso, Osni.

— Sempre não. Eu...

— Sempre, Osni. Eu não agüento mais, Osni.

— Tá bom, tá bom. É apenas buraco.

— Não é apenas buraco, Osni. É tudo. É a nossa vida. O buraco é só, só... Como é que se diz?

— Exato. É só um jogo de cartas.

— Não é só um jogo de cartas, Osni! É um símbolo. Tá entendendo?

— Ai, meu saco... Epa!

— Sabe por que eu não te mato agora, Osni?

— Larga a faca.

— Sabe por quê?

— Larga essa faca.

— Porque se você morrer, eu vou ter que jogar com a Cida, que é pior que você. A Cida não abre jogo. A Cida fica com os jogos feitos na mão! Ela é mais débil mental que você!

— Ela é sua irmã, e ela está ouvindo.

— É uma débil mental! Você é um débil mental! Eu sou uma débil mental, por ter me casado com você!

— Larga a faca.

— A vida é uma parceria, Osni. Não se bate quando o outro acaba de comprar o morto. Entende? Essa é uma regra da vida. É uma das regras básicas da vida, Osni.

— Pronto, pronto. Me dá a faca. Isso. Pronto.

— Não se bate quando o parceiro está com a mão cheia, Osni!

— Está certo. Prometo não fazer mais. Agora calma.

— Eu estou rodeada de débeis mentais!

— Calma. Vou buscar seu comprimido.

— E essa merda de televisão que não pega nada, também!

Tios

A primeira história de tio é do tio Paulito, que, desde que as crianças conseguiam se lembrar, almoçava na casa todos os dias, e nos domingos trazia um pacote de bala de coco. Falava pouco e era, mesmo, tão inexpressivo que só quando já tinha 16 anos a filha mais moça se lembrou de perguntar:

— Afinal, qual é o nosso parentesco com o tio Paulito?

— Ora, minha filha — respondeu a mãe —, ele é meu irmão! Vocês não sabiam?

Nenhum dos filhos sabia. O fato é que o tio Paulito não tinha nenhum interesse para eles. Só aparecia na casa para almoçar. Não ia às festas. No Natal e no Ano-Novo, desaparecia. No dia do aniversário de qualquer um dos sobrinhos, chegava para o almoço com um pacote extra de bala de coco. Uma vez, é verdade, ele surpreendera a todos contando uma anedota na mesa. Mas era uma anedota boba, que todo mundo já conhecia, e ainda por cima ele contava mal à beça. Ninguém riu e o tio Paulito voltou ao seu silêncio. Não sabiam o que ele fazia ou aonde ia depois do almoço. Era, enfim, como um móvel da sala de jantar que todos tinham se acostumado a ver ali diariamente e sobre cujo passado e futuro ninguém perguntava.

Até que um dia a filha mais moça, que tomara um súbito interesse por política, se declarara do PT e não faltava a conferência, simpósio ou manifestação, chegou em casa com a grande novidade.

— Vocês nem sabem!

— O quê, minha filha?

— Quem é que estava na conferência do Prestes.

— Quem?

— O tio Paulito!

— O quê?!

— E o Prestes foi falar com ele! Eu quase morri!

— O Luís Carlos Prestes foi falar com o seu tio Paulito?

— Foi falar só, não. Fez uma festa! Se abraçaram. Chamou o tio Paulito de "lutador". "Este aqui é um lutador."

— Não acredito!

A própria irmã do tio Paulito não acreditava. No dia seguinte, quando ele apareceu para almoçar, todos queriam saber. Mas como, Paulito? O Prestes?!

— É — disse ele, sorrindo. E, constatando, surpreso, que a resposta não satisfizera, repetiu: — Pois é.

— Conta, titio! Como é essa história?

— Não, não — disse ele. — O que é isso? História antiga.

E estendeu o prato para o bife à milanesa.

Durante o resto do almoço, o tio Paulito foi o centro da admiração de todos. Especialmente da sobrinha mais moça, que mal conseguiu comer de tão emocionada. E passou o tempo todo olhando para aquele homem, ali, mastigando o seu bife. Não era mais o tio Paulito. Agora era um mistério à mesa.

Já o tio Dedé fazia questão de contar a sua vida, e a história que mais repetia era a do filme que fizera em Hollywood. Os mais velhos já estavam cansados de ouvir a história, mas sempre aparecia alguém novo para o tio Dedé impressionar.

— O senhor fez um filme em Hollywood, seu Dedé?

— Apareço numa cena.

— Que filme era?

— Você não deve ter visto. Não é do seu tempo. O nome em inglês era ailand ovilovi.

— Como é?

— Ailand ovilovi. Acho que nunca passou no Brasil.

— Com quem era?

— Dorothy Lamour. Não é do seu tempo.

— E como foi que o senhor entrou no filme?

— Eu fazia parte de um conjunto, Los Tropicales. Tocava bongô e cantava. Isso foi lá por 40 e poucos. Época da guerra. Mas o conjunto se desfez em Los Angeles porque a cantora, Lupe, uma cubana, descobriu que o marido dela, que tocava pistom e se chamava, sabe como?, Rafael Rafael. Assim mesmo, um nome duplo. Descobriu que o Rafael Rafael estava namorando uma pequena americana, aliás um pedaço...

E lá se ia o tio Dedé com a sua história, que mudava em alguns detalhes mas era sempre a mesma, mais ou menos elaborada de acordo com o grau de interesse de quem ouvia. Com Los Tropicales desfeito, o tio Dedé precisara se virar em Los Angeles e acabara contratado como figurante num filme passado nos mares do Sul, mas todo filmado em Hollywood mesmo. A cena em que o tio Dedé aparecia, segundo ele, era forte. Era num bar em que a Dorothy Lamour cantava. Ela passava pela sua mesa, cantando, tirava o cigarro da sua boca e lhe dava um beijo. "Até ficamos amigos", contava o tio Dedé.

Um dia...

— Titio! O seu filme não se chama *Island of Love*?

— É esse mesmo.

— Vão passar hoje na televisão!

Grande sensação. A família toda se reuniu e convidou gente para ver "o filme do tio Dedé". Que estava estranhamente quieto quando se sentou na frente da tevê. O filme começou, continuou e parecia estar terminando e nada de aparecer a cena do tio Dedé.

— Quando é, tio?

— Calma.

Mas o filme terminou e a cena não apareceu. Todos se viraram para o tio Dedé, numa interrogação muda. E então ele, depois de um instante de hesitação, pulou da cadeira e bradou aos céus, indignado:

— Cortaram! Cortaram!

O Nono e o Nino

Alguns da família dizem que tudo começou quando o Nono se debruçou para ver de perto o Nino, recém-nascido, pelado em cima de uma cama, e o Nino fez xixi na sua lapela. Na lapela! O xixi do Nino descreveu um arco e acertou a lapela da fatiota que o Nono vestira especialmente para visitar a filha caçula e conhecer o décimo neto. Na ocasião, o Nono teria exclamado "Mascalzone!" e dado uma risada, mas todos tinham notado que a risada era forçada. A coisa começara ali. Outros da família dizem que isto é bobagem. Que o Nono esqueceu o xixi na lapela e sempre tratou o Nino como tratava os outros netos: um pouco distante, mas com carinho. Segundo esta facção, tudo começou no tal almoço da comparação. O fatídico almoço da comparação.

O Nono era um avô italiano clássico. Nada lhe dava mais prazer do que reunir "*la famiglia*" em casa para os almoços de domingo. E o Nono dominava a mesa, aos domingos. Dava ordens, dirigia a conversa, fazia perguntas sobre a vida de todos e não ouvia as respostas, propunha brindes, mandava servir vinho para as crianças — si, si, vino, Coca-Cola fura o estômago — e sempre terminava os almoços puxando uma canção italiana, que todos tinham que cantar, sob pena de receberem um pedaço de pão na cabeça. Depois da sobremesa e antes do café, todos tinham que cantar junto com o Nono.

No tal almoço fatídico, Giovanna — a neta que vivia bajulando o Nono, a única que ele deixava brincar com a sua papada — quis saber o que era "*pasta asciutta*". Ela já sabia o que era "*pasta asciutta*", mas também sabia que o Nono gostava quando lhe faziam consultas sobre o seu assunto preferido, qualquer coisa que tivesse a ver com a Itália e, principalmente, com comida italiana. Tanto que ele só começou a falar depois que a Giovanna, aos gritos, conseguiu silenciar o resto da mesa. Inclusive o Nino, que improvisara um jogo de futebol com uma ervilha desgarrada e narrava o jogo com grande entusiasmo. O Nino estava, então, com dez anos.

— Ssshhhh, o Nono vai falar. O Nono vai falar!

O Nono esperou até ter a atenção de todos, e começou.

— É *cosi*, bela. Existe "*pasta asciutta*" e "*pasta in brodo*". "*Pasta asciutta*" é a *pasta* como nós comemos hoje. "*Pasta in brodo*" é quando a *pasta* vem num caldo. *Capisci*? A pasta pode ser "*asciutta*", seca, ou "*in brodo*", molhada.

— Como meleca — disse o Nino.

Por um instante, o silêncio pairou sobre a mesa como uma locomotiva escolhendo o lugar para cair. Então o Nono falou.

— Quê?

— Como meleca. Do nariz. Meleca também pode ser molhada ou seca.

O Nono olhou para a mãe do Nino. Sua filha, sua filha caçula. Ela era a responsável por aquilo. Ela gerara aquele monstro e aquela comparação sacrílega.

— Liga não, papai... — disse a filha.

— Ele é um humorista — tentou justificar o pai do monstro.

— Mas é verdade! — insistiu Nino. — A meleca dura é mais fácil de...

— Chega! — gritou sua mãe.

Naquele domingo, o almoço não terminou em canção. O Nono saiu da mesa antes do cafezinho. A Giovanna foi atrás para consolá-lo. Na mesa, Nino recebeu um peteleco em cada lado da cabeça. Mãe e pai, numa operação conjunta.

Daquele almoço fatídico em diante, nos anos que se seguiram, o Nono sempre se referiu ao Nino como "O Humorista".

— O Humorista não quer mais polenta?

— Vejo que O Humorista está com cabeleira de veado.

— O Humorista não vem hoje? Está estudando para o vestibular? De quê? Humorismo?

— O Humorista nunca mais veio aqui. Eu não me importo. A Nona dele, *si, símporta. Ma io...*

Tentavam aplacar o velho.

— No domingo que vem ele vem, papai.

— Por mim...

E houve outro domingo fatídico. O domingo em que o Nino anunciou ao Nono, na mesa do almoço, que usara a cozinha italiana como exemplo na sua tese de formatura.

— Exemplo de quê? — perguntou o Nono, desconfiado.

— Do imanente e do aparente como categorias filosóficas.

— Quê?!

O pai e a mãe do Nino tentaram detê-lo com sinais, sem sucesso. Nino continuou.

— Na cozinha italiana, o imanente é a massa, que é sempre igual. O aparente é a forma que toma a massa, *fettuccine*, *cappelletti*, *tortellini*, *orecchiette*, *farfalli*, que dá uma ilusão de variedade, assim como a individualidade humana parece negar a essência imanente única do ser enquanto...

— *Illusione*? *Illusione*?

O Nono já estava de pé.

— É, Nono. A cozinha italiana é uma falcatrua. A massa é sempre a mesma, feita da mesma maneira. Só o que muda é...

— A comida italiana é a mais variada do mundo!

— Não é, Nono. A forma da massa não altera o sabor. A variedade é ilusória, como...

— Saia desta mesa. Agora! E não volte nunca mais.

— Mas Nono...

— Agora!

E quando o Nino se retirava, o Nono gritou:

— *Mijon*! *Mijon*!

Dando razão à facção que sustentava que, na sua alma calabresa, o Nono nunca perdoara o xixi na lapela.

Reencontro

Frederico entrou no apartamento puxando o amigo pelo braço. Gritou para a mulher:

— Lurdes, olha quem eu encontrei no elevador!

A mulher não reconheceu.

— É o Parra. Lembra como eu sempre falava no Parra? Pois este é o Parra!

O nome do outro era Parreira. Conhecido como Parra. Os dois tinham mais ou menos a mesma idade. Perto de 50. Mas o Parreira parecia mais moço. Não tinha barriga. Ainda tinha todo o cabelo, apesar de grisalho. Os dois ficaram se olhando e rindo.

— Velho Parra...

— Puxa, deve fazer o quê?

— Vinte anos.

— No mínimo.

— Espera lá. Me lembro direitinho da última vez que vi você. Foi no Rond Point. Fernando Mendes com Nossa Senhora de...

— Copacabana — completou o outro.

— Exatamente.

— Você não pode se lembrar porque estava bêbado.

E para a mulher:

— Este cara era terrível. Flor de cafajeste. Hein, Parra?

— Que é isso — disse o outro, modestamente.

— Velho Parra.

— Velho Ponte.

— Quem é *Ponte*? — quis saber a Lurdes.

Frederico se atirara numa poltrona, às gargalhadas.

— Ponte era eu! Meu apelido na turma, porque gostava de brigar com paulista. Dava mais susto em paulista do que a ponte aérea. Que naquele tempo era braba.

— Você também não era sopa.

— Senta aí, rapaz. Mas que prazer. Você janta conosco.

— Sei não...

— Mas que história é essa. Claro que sim. Vamos rememorar os bons tempos. Lembra da peruca no Sacha's? Lurdes, escuta esta. Este demente, um dia, me rouba a peruca da cabeça de uma mulher em pleno Sacha's. Sai correndo pela porta e pela avenida Atlântica, com a dona da peruca atrás. E o marido da dona da peruca! Um paulista.

— Mas quem tirou a peruca da cabeça da mulher e botou na minha foi você! Conta essa história direitinho.

— O que nós aprontamos nesta cidade, hein, Parra?

— Puxa.

— Velho Parra.

Depois do jantar:

— É... Bons tempos. Você ainda bebe direitinho, hein, Parra? Eu, desde aquele tempo, não toquei mais em álcool. O fígado velho. E a idade. Uma porcaria.

— Mas o que é isso? Você está moço.

— Moço está você, seu filho-da-mãe. Uma pinta, não é Lurdes? Eu estou acabado. Minha filha mais velha fez 17 anos. Veja você. E já saiu de casa. Você casou, Parra?

— Só duas ou três vezes.

— Grande safado. Lembra das menininhas? Nenhuma resistia à sua conversa. Sabe como é que chamavam o Parra na turma, Lurdes? Dr. Delamare, o rei dos nenéns.

— Você também não era brincadeira.

— É. Mas isso foi no tempo em que o Mar Morto estava agonizando. Hoje não dou mais pra nada. Uma ruína.

O outro ficou sério. Disse:

— Não te entrega, velho. Nunca. Olha pra frente. Passado é passado.

— Passado tou eu — disse Frederico, sério também.

— Vou fazer um cafezinho — anunciou Lurdes.

— Minha filha disse que o noivo dela vinha nos visitar hoje. Veja você. Noivo. Já sou quase sogro. Quase avô.

— A Sandra.

— É.

Silêncio.

— Você conhece a minha filha, Parra?

— Conheço.

Outro silêncio.

— O que é que você estava fazendo no elevador, Parra?

— Subindo para vir aqui.

Mais silêncio. Depois, o Parra continuou:

— Eu sou o noivo da Sandra, Ponte.

Frederico ficou olhando para o outro. Quando Lurdes voltou para a sala com o cafezinho, encontrou os dois olhando um para o outro. Frederico do fundo da sua poltrona, Parra na beira do sofá. Em silêncio.

— Ué, acabaram as reminiscências?

Nenhuma palavra dos dois.

Finalmente, Parra:

— O que é que você está pensando, velho?

— Estou tentando decidir se atiro você pela janela ou...

— Ou o quê?

— Sei lá.

— O que é que deu em vocês dois?

— Nada. Uma briga antiga.

— Essa é muito boa. Vinte anos depois, se encontram e brigam de novo? Tomem um cafezinho.

Frederico parecia estar afundando na poltrona. Não se mexeu para pegar o cafezinho. Olhava fixo para o crucifixo que aparecia pela camisa aberta do Parra. Ele ainda estava de terno e gravata. Só para quebrar o silêncio, Lurdes falou:

— Nossa filha mais velha, a Sandra, disse que o noivo dela vinha nos visitar. Hoje em dia é assim. A gente só conhece quando já é noivo. Isso quando ainda há noivado. Quero só ver a cara...

— Ele não vem.

— Como é que você sabe, Fred?

Mas Frederico continuava olhando para o crucifixo.

— O que é que a gente dizia quando saía para a noite, Parra? "Famílias, tranquem as suas filhas!"

— Ela é uma menina maravilhosa, Ponte...

— Não! Essa não! Não vem com conversa. Pelo menos assume a canalhice. Não me enrola!

Lurdes não entendia nada.

— Fred.

— Eu não tenho culpa, Ponte — disse Parra —, se você agora está do outro lado...

— Sai! Sai antes que eu te quebre a cara.

Lurdes entendeu menos ainda quando, depois de levar Parra até a porta, pedindo desculpas pelo comportamento estranho do Frederico, voltou para a sala e ouviu a pergunta do marido:

— Por que é que eu não tenho uma camisa igual à do Parra, Lurdes?

Ele um dia tinha sido eleito o Rei do Chá-Chá-Chá no *Crazy Horse*. Agora tinha o olhar morto de quem se entregou.

Povo

— Geneci...

— Senhora?

— Preciso falar com você.

— O que foi? O almoço não estava bom?

— O almoço estava ótimo. Não é isso. Precisamos conversar.

— Aqui na cozinha?

— Aqui mesmo. O seu patrão não pode ouvir.

— Sim, senhora.

— Você...

— Foi o copo que eu quebrei?

— Quer ficar quieta e me escutar?

— Sim, senhora.

— Não foi o copo. Você vai sair na escola, certo?

— Vou, sim senhora. Mas se a senhora quiser que eu venha na terça...

— Não é isso, Geneci!

— Desculpe.

— É que eu... Geneci, eu queria sair na sua escola.

— Mas...

— Ou fazer alguma coisa. Qualquer coisa. Não agüento ficar fora do Carnaval.

— Mas...

— Vocês não têm, sei lá, uma ala das patroas? Qualquer coisa.

— Se a senhora tivesse me falado antes...

— Eu sei. Agora é tarde. Para a fantasia e tudo o mais. Mas eu improviso uma baiana. Deusa grega, que é só um lençol.

— Não sei...

— Saio na bateria. Empurrando alegoria.

— Olhe que não é fácil...

— Eu sei. Mas eu quero participar. Eu até que sambo direitinho. Você nunca me viu sambar? Nos bailes do clube, por exemplo. Toca um samba e lá vou eu. Até acho que tenho um pé na cozinha. Quer dizer. Desculpe.

— Tudo bem.

— Eu também sou povo, Geneci! Quando vejo uma escola passar, fico toda arrepiada.

— Mas a senhora pode assistir.

— Mas eu quero participar, você não entende? No meio da massa. Sentir o que o povo sente. Vibrar, cantar, pular, suar.

— Olhe...

— Por que só vocês podem ser povo? Eu também tenho direito.

— Não sei...

— Se precisar pagar, eu pago.

— Não é isso. É que...

— Está bem. Olhe aqui. Não preciso nem sair na avenida. Posso costurar. Ajudar a organizar o pessoal. Ajudar no transporte. O Vectra está aí mesmo. É a emoção de participar que me interessa, entende? Poder dizer "a minha escola"... Eu teria assunto para o resto do ano. Minhas amigas ficariam loucas de inveja. Algumas iam torcer o nariz, claro. Mas eu não sou assim. Eu sou legal. Eu não sou legal com você, Geneci? Sempre tratei você de igual para igual.

— Tratou, sim senhora.

— Meu Deus, a ama-de-leite da minha mãe era preta!

— Sim, senhora.

— Geneci, é um favor que você me faz. Em nome da nossa velha amizade. Faço qualquer coisa pela nossa escola, Geneci.

— Bom, se a senhora está mesmo disposta...

— Qualquer coisa, Geneci.

— É que o Rudinei e a Fátima Araci não têm com quem ficar.

— Quem?

— Minhas crianças.

— Ah.

— Se a senhora pudesse ficar com eles enquanto eu desfilo...

— Certo. Bom. Vou pensar. Depois a gente vê.

— Eu posso trazer elas e...

— Já disse que vou pensar, Geneci. Sirva o cafezinho na sala.

A volta da Andradina

A volta da Andradina para casa foi cuidadosamente preparada, como a visita de um chefe de Estado. Sua irmã mais velha, Amélia — a irmã com a melhor cabeça, era a opinião geral —, tratou de todos os detalhes. Para começar, a discrição. Todos na casa, do Dr. Saul, marido da Amélia, ao Bolota, neto recém-nascido da cozinheira, receberam ordens para, em hipótese alguma, revelar o dia e a hora da chegada da Andradina. O Bolota só ficou de olhos arregalados, mas o resto da família jurou não dizer nada. Fora da casa, ninguém precisava saber que a Andradina estava voltando.

A chegada da Andradina só não teve ensaio geral. Tudo foi planejado. Quem iria ao aeroporto buscá-la, quem ficaria na casa, quem cuidaria das malas. Na véspera da chegada, Amélia reuniu todos na sala para as últimas instruções. Horário de partida para o aeroporto, provável horário de chegada da Andradina na casa (se o avião não atrasasse), como cada um deveria comportar-se. Importantíssimo: nem uma palavra sobre o caso. Para todos os efeitos, ninguém sabia de nada. Para todos os efeitos, Andradina apenas decidira passar uma temporada em casa, descansando e revendo a família. Nada mais natural. Alguém perguntou:

— E na mesa?

— Como, na mesa?

— Na mesa. Na conversa normal. No dia-a-dia. Não se toca no assunto?

— Só se ela tocar. Entendido?

Entendido. Ninguém diria nada. E principalmente ninguém mencionaria o nome "Geraldo". Regra número um da casa: daquele momento em diante, "Geraldo", não. "Geraldo" em hipótese alguma. Como margem de segurança, talvez fosse melhor banir todos os nomes começados em "Gê". De pessoas e de coisas.

— Ai, meu Deus! — disse Alicinha, a filha do meio, a que falava mais e nem sempre se dava conta do que dizia. Precisaria se controlar para não dizer "Geraldo". Tinha certeza de que acabaria dizendo "Geraldo". Cruzaria com a tia Andradina no corredor e em vez de "Bom-dia" diria "Geraldo". Alicinha ficou muito nervosa.

A Operação Chegada transcorreu sem problemas. O avião não atrasou, Andradina entrou na casa no horário previsto. Sorriu para todos, fez festa para o Bolota, disse que preferia não almoçar.

Estava cansada, iria para o quarto, talvez dormisse um pouco, mais tarde comeria alguma coisa. Amélia decretou silêncio absoluto na casa enquanto Andradina descansasse. O Bolota foi exilado, para evitar o risco do choro extemporâneo. Durante toda a tarde, Amélia patrulhou a casa, pronta para abafar no nascedouro qualquer ruído que pudesse perturbar o descanso de Andradina. Pensando: "Como ela está pálida, coitadinha. Como ela está pálida."

Andradina era a irmã mais moça. Amélia era meio mãe de Andradina. Infelizmente, Andradina não ouvira o que Amélia lhe dissera sobre o Geraldo. Todas as suas previsões sobre o Geraldo tinham se cumprido. Bem que Amélia avisara. Quando Andradina saiu do quarto, no fim da tarde, encontrou a mesa da cozinha posta, com três tipos diferentes de bolo. Inclusive o seu favorito, de banana.

No jantar daquela noite, todos se esforçaram para deixar Andradina à vontade. O Dr. Saul, que raramente falava, foi quem mais falou. Chegou a lembrar o seu tempo de bailarino. É, bailarino. Alguém se lembrava do tuíste? Dançara muito tuíste. A Alicinha, que normalmente era a que mais falava, não disse nada. Ficou muda durante todo o jantar, apavorada com a possibilidade de dizer "Geraldo", ou coisa parecida, sem querer. Andradina comeu pouco e falou pouco. Passou o tempo todo com um sorriso triste nos lábios. Foi cedo para o quarto. Não, não acompanhava a novela. Quando Andradina se retirou, todos respiraram aliviados.

Tinham se comportado bem. Amélia voltou do quarto, onde fora ver se a irmã tinha tudo de que precisava, e premiou toda a família com a sua aprovação. Tinham se comportado muito bem. O primeiro dia da volta da Andradina, pelo menos, fora um sucesso. Sem gafes. Coitadinha da Andradina.

No café da manhã do dia seguinte, quase uma catástrofe. Alicinha começou a dizer "Me passa a..." e parou. Será que podia dizer "geléia"? Geléia era com "gê"? Mesmo se fosse "jeléia" com "jota", o som seria o mesmo e as conseqüências poderiam ser desastrosas. Completou: "...manteiga?". Andradina aparentemente não notou a hesitação da sobrinha. E logo depois do café pediu para falar com Amélia no quarto. Queria contar tudo. Com detalhes. As duas irmãs passaram a manhã trancadas no quarto.

Fora alguns soluços da Andradina, ninguém ouviu nada do que se passava lá dentro. Nem quando colaram o ouvido na porta. Perto do meio-dia, a Amélia saiu do quarto, sacudindo a cabeça como se dissesse "eu bem que avisei". E deu novas instruções. A partir daquele momento, além de "Geraldo" e qualquer palavra começada com "gê", ninguém deveria falar em arreios, chapéu de marinheiro e pomada mentolada na presença da Andradina.

Pais e Filhos

!

A descoberta

— Papai!

— Meu filho. Dá um abraço. Há quanto tempo...

— Quando foi que o senhor chegou?

— Agora há pouco. A empregada abriu a porta. Quando soube que eu era seu pai, mandou entrar, me serviu cafezinho. Aliás, essa empregada, não sei não.

— Por quê?

— Você, um rapaz solteiro, num apartamento sozinho, com uma empregada assim...

— Ela só vem durante o dia. Quase não nos encontramos.

— Você parece ótimo, meu filho.

— Estou muito bem.

— Esperei encontrar você bem mais magro...

— Não, estou muito bem. E a mamãe, o pessoal lá em casa?

— Tudo bem. Sua mãe lhe mandou cuecas e goiabada.

— Ótimo. Mas por que o senhor não me avisou que vinha?

— Quis fazer uma surpresa.

— E fez mesmo. Nunca que eu esperava ver o senhor aqui.

— Pois até parece que esperava. Este apartamento bem arrumado, livros por toda parte... Eu pensei que fosse entrar aqui tropeçando em mulheres.

— O que é isso, papai...

— É, num tapete de seios e nádegas. Do jeito que está, até parece que você passa todo o tempo estudando. Aposto que, atrás dos livros, tem mulher. Hein? Hein?

— Ora, papai...

— Aquela estante ali é, na verdade, uma porta secreta para o teu harém particular. A gente aperta uma lombada e aparece a Maitê Proença. É ou não é? Onde é que elas estão?

— Quem, papai?

— As mulheres, rapaz, as mulheres.

— Aqui não tem mulher, papai. Quer dizer, a esta hora não.

— Ah, então elas têm hora para chegar? Daqui a pouco chega o turno da noite, é isso? Sim, porque pelas suas cartas eu entendi que era mulher dia e noite, sem parar. Horário integral.

— Não, não. Para falar a verdade...

— Não tem uma bebida aí para o seu velho? Quero estar preparado para quando elas chegarem.

— Papai, o senhor não está falando sério.

— Como não? Eu não estou pagando por tudo isto, pelo apartamento, pelas suas roupas, pelas boates, pelos presentes para as suas mulheres, pela aparelhagem de som, por tudo? Quero aproveitar um pouco também, ora. Pensando bem, eu ainda não vi a tal aparelhagem de som de que você falou na sua carta. A não ser que esteja disfarçada atrás de outra estante de livros.

— Papai...

— E a minha bebida?

— Bebida. Pois é. Acho que só tem guaraná.

— O quê? O bar deste apartamento foi estocado, e muito bem estocado, segundo as suas cartas, com o meu dinheiro, rapaz. Aliás, também não vi bar nenhum por aqui. Onde está o uísque estrangeiro?

— Papai, as minhas cartas...

— Não se preocupe. Sua mãe não viu nenhuma. Não foi fácil, mas consegui esconder todas dela. Por falar nisso, ela mandou reclamar que você não escreve nunca.

— Eu exagerei um pouco nas minhas cartas.

— Como, exagerou?

— O dinheiro que eu mandava pedir para comprar presentes para as mulheres...

— Sim?

— Era para comprar livros de estudo, para mim.

— Meu filho. Não!

— Era, papai. Menti nas minhas cartas.

— E o dinheiro para as noitadas em boates?

— Gastei em material de pesquisa.

— Meu Deus. Você quer dizer que o dinheiro que eu tenho mandado todos os meses, muitas vezes com sacrifício...

— Está indo todo para a universidade e para o material didático.

— Não acredito. Você não faria isso com seu pai.

— Papai...

— E pensar que eu mostrava suas cartas para os amigos, com orgulho... Aquela que você mandou dizendo que ia sair com a Vera Fischer e precisava de...

— O dinheiro foi para comprar um livro estrangeiro.

— E aquele aborto que você precisava pagar com urgência?

— Nunca houve aborto nenhum. Tudo mentira.

— Meu filho, que decepção...

— Papai... Papai, você está bem? Papai! Dona Zulmira, venha ligeiro!

— Que foi?

— Traga um copo d'água, rápido.

— Pode ser um refrigerante, meu filho.

— Um guaraná, rápido!

— Mas não tem guaraná.

— NEM GUARANÁ?!

— Calma, papai. Traga a água, dona Zulmira.

— E essa bruxa velha que você tem em casa, meu filho. Pelo menos uma empregada bonitinha você podia ter...

— Aqui está a água, doutor.

— Obrigado.

— Olhe, o senhor não precisa se preocupar com este seu filho, doutor. Cuido dele como se fosse um filho. Ele é um santo!

— Aahnn...

— Obrigado, dona Zulmira. Pode ir.

— Meu filho, e a aparelhagem de som? O dinheiro que eu mandei para a aparelhagem de som acoplada com o sistema de luz indireta e pisca-pisca?

— Foi para comprar um microscópio, papai.

— AAHNNN!

Pai não entende nada

— Um biquíni novo?

— É, pai.

— Você comprou um no ano passado!

— Não serve mais, pai. Eu cresci.

— Como não serve? No ano passado você tinha 14 anos, este ano tem 15. Não cresceu tanto assim.

— Não serve, pai.

— Está bem, está bem. Toma o dinheiro. Compra um biquíni maior.

— Maior não, pai. Menor.

Aquele pai, também, não entendia nada.

Mães

Mãe, mãe mesmo, só há duas: a mãe judia e a mãe italiana. Contam que o Giovanni anunciou para a mãe que ia se casar. Depois de reanimá-la e ajudá-la a se levantar do chão, deu o resto da notícia. A moça era judia.

— *Dio*! — gritou a mãe, estendendo as mãos para o alto como que pedindo para Deus vir buscá-la imediatamente.

— *Mama*, você vai adorar ela.

— Eu vou ter que conhecer?!

— Claro, *mama*!

— Vá *bene* — disse a mãe, com um suspiro tão profundo que baixou o nível de oxigênio do quarteirão.

Combinaram que na noite seguinte o Giovanni traria a noiva para apresentá-la à *mama*, depois de participarem o noivado à família dela.

— Venham aqui primeiro — pediu a *mama*, com um mau pressentimento.

— Não, *mama*. Primeiro vamos na casa dela, anunciar o nosso casamento. Depois viremos para cá.

— Vá *bene* — suspirou a mãe, matando algumas plantas.

No dia seguinte, a *mama* se ocupou de preparar a recepção para a noiva do Giovanni. Hesitou entre ter um enfarte e recebê-los à morte, anunciando que de onde estivesse abençoaria o casamento e usaria sua influência para tentar evitar que um raio interrompesse a cerimônia, e preparar alguma coisa para comerem. Optou pela comida, mas reforçou as olheiras. Prepararia uma ceia leve. *Tagliateli*. *Rigatoni*. *Ravioli*. *Involtini*. Talvez uma bela *insalata*...

Quando Giovanni e a noiva chegaram, encontraram a *mama* perfilada atrás da mesa coberta de comida, como um general atrás das suas tropas. A moça elogiou a gentileza da futura sogra, elogiou os pratos e contou que, quando anunciara à sua mãe que ia se casar com um católico, ela correra para a cozinha e botara a cabeça no forno.

Ao que a *mama* arregalou os olhos e perguntou, aflita com a perspectiva da falta de apetite do casal:

— E vocês comeram?!

O mundo restaurado

O pai ganha os presentes que um pai costuma ganhar. Camisas, lenços, uma gravata muito parecida com a que deu para alguém no ano passado, meias. Alguns livros, alguns vinhos. Mas fica de olho nos presentes das crianças. Com o ar condescendente de quem tem um saudável interesse nas atividades dos filhos. Mas louco de inveja.

— Meu filho. Um autorama!

— É, pai.

— Vamos armar agora mesmo!

— Agora não, pai. Amanhã, a gente arma.

— Amanhã, nada. Agora! Arreda essa papelada pra lá. Aqui na sala mesmo tem lugar.

A mãe intervém.

— Você está louco? Armar esse negócio no meio da sala, no meio da festa?! E as crianças precisam ir dormir. Foi excitação demais para um dia só.

O pai fica olhando com ressentimento o autorama que desaparece da sala embaixo do braço do guri. Pensa, vagamente, em seguir o filho e propor uma barganha. Escuta, a mãe não está nos ouvindo. Eu te dou todos os meus lenços e tu deixa eu armar o autorama aqui no teu quarto, com a porta fechada. Mas não. Os convidados, o que pensariam dele? Na certa que estaria bêbado, como no ano passado.

Ele examina o livro que ganhou do cunhado. Um do Fukuyama. O cunhado, inexplicavelmente, lhe atribui um grave interesse nos problemas contemporâneos. Vive lhe mandando recortes de jornal com trechos sublinhados e pontos de exclamação na margem. Às vezes, telefona, com recados cifrados.

— Lembra aquela nossa conversa?

— Qual?

— Veja na terceira página do *Estadão* de hoje. Um pequeno tópico no canto inferior direito. É a prova de tudo aquilo que nós discutíamos no outro dia, lembra?

— Não.

— A crise é irreversível, meu filho. Um abração.

Ele só ganha presente de homem sério. De homem preocupado com os problemas contemporâneos. Lenços brancos, camisas sóbrias, meias pretas e marrons. No ano passado, deu para um primo taciturno uma gravata cinza-escuro com manchas pretas e estrias roxas, como hematomas. Com um cartão gozando a seriedade do primo. Este ano recebeu de volta a mesma gravata. Sem cartão. As pessoas, pensa, me confundem com um adulto. Vê a filha mais velha, que passa equilibrando várias caixas de presentes.

— Te desafio para uma partida de damas.

Não é uma proposta carinhosa. É um desafio mesmo. Posso derrotar qualquer criança nesta sala! Dama, moinho, bola de gude, palavra cruzada... A filha o ignora e também vai para o quarto.

Decidiram, ele e a mulher, não dar nenhuma arma de brinquedo no Natal. Nem arco e flecha. Os psicólogos não aconselham. Mas ele agora tem uma lembrança que lhe sobe até a garganta e fica atravessada: aos 12 anos ganhou uma metralhadora de latão que cuspia fogo. Tinha uma manivela do lado que a gente girava e a metralhadora cuspia fogo! O cunhado senta ao seu lado, com um copo de uísque na mão. Aponta para o livro.

— Isso aí explica muita coisa. Lembra daquela minha tese?...

Mas ele não ouve mais nada. Ergue o Fukuyama até os olhos, como se mirasse uma metralhadora, e começa a girar uma manivela invisível do lado do livro. Ao mesmo tempo, com a boca imita o ruído de tiros, e descobre entusiasmado que ainda não perdeu o jeito. O cunhado fica olhando, entre surpreso e divertido, enquanto ele varre a sala com rajadas imaginárias.

Puxa-puxa

Vá entender. Depois de cinco meses em Paris, Nora descobriu que não podia viver sem goiabada. Chegou a chorar no telefonema para a mãe preocupada. Não agüentava a saudade de goiabada.

— Mas, minha filha, aqui você nem comia goiabada.

— Eu sei — soluçou a moça. — Eu sei! Mas estou morrendo de saudade. Me manda uma goiabada!

E não podia ser goiabada boa. Tinha que ser goiabada em lata, daquelas que, segundo dizem, nem levam goiaba. E outra coisa: queijo.

— Mas aí tem uns queijos ótimos, minha filha!

Tinha, mas não serviam. Precisava ser queijo brasileiro.

— Está bem, minha filha. Vou mandar pela Dirce.

Deve ser dito que Nora viajara a Paris para fazer um curso de história da arte mas também para esquecer o Jorjão, cuja união com Nora fora vetada pela família, principalmente porque Jorjão já tinha uma mulher, Almeri, e dois filhos, Rita e Renan. Nora parecia estar feliz em Paris, apesar de ter viajado com o coração partido. Até surgir a saudade fulminante de goiabada.

Felizmente a Dirce e o Manfredo iam a Paris. Como a encomenda chegou em cima da hora, Dirce botou a goiabada e o queijo numa sacola de mão e na hora do embarque o raio-X do aeroporto não identificou a lata. Tiveram que abrir a sacola, o Manfredo, brigão como só ele, se desentendeu com o fiscal, quase foi preso, no fim nem eles nem a goiabada viajaram. Quando a mãe da Nora telefonou para avisar à filha que a goiabada não chegaria, ouviu dela a notícia de que sua compulsão por goiabada passara. Ela agora precisava ter balas de coco. Sonhava com balas de coco. Se não recebesse balas de coco, daquelas que se desmanchavam contra o céu da boca e só existiam no Brasil, se mataria.

— Mas minha filha...

— Me mato, mamãe!

— Acho que a Jurema ainda não viajou.

A Jurema e o Renato estavam num grupo que ia para a Copa do Mundo e foram mobilizados pela mãe da Nora. Contrafeitos, botaram as balas de coco na bagagem. Que se perdeu e foi parar em Copenhague, onde a mala com as balas de coco se abriu por acidente. As balas de coco não eram daquelas que se desmancham contra o céu da boca. Estavam secas e esfareladas, lembrando pacotinhos de cocaína. Em vez das malas de volta, Jurema e Renato receberam uma intimação da Interpol e perderam o primeiro jogo do Brasil. Quando a mãe da Nora avisou à filha que as balas de coco não chegariam, ouviu dela que não queria mais bala de coco, enlouqueceria se não recebesse puxa-puxa.

— Puxa-puxa, minha filha?!

— Aquele tipo de rapadura mole que...

— Eu sei o que é, mas você não come puxa-puxa desde garota!

— Eu não penso em outra coisa, mamãe. Acho que vou enlouquecer.

A mãe teve um trabalhão para encontrar puxa-puxa e outro portador para Paris; acabou descobrindo que o filho da dona Alicinha do laboratório, o Régis, estava para embarcar. Nada a ver com a Copa, um estágio num hospital, dermatologia. Régis podia levar o puxa-puxa até no bolso, desde que não lhe acontecesse nada no caminho. Não aconteceu nada, o Régis se encontrou com a Nora em Paris, saíram juntos, e ontem, quando a mãe telefonou para saber se ela tinha recebido o puxa-puxa, Nora contou que estava ótima, ótima mesmo, e que puxa-puxa?

— Ah, sim, recebi. Obrigada, mamãe, mas não precisava.

E a família compreendeu que Nora tinha finalmente esquecido Jorjão.

No bar

!

Dezesseis chopes

A conversa já passara por todas as etapas por que normalmente passa uma conversa de bar. Começara chocha, preguiçosa. O mais importante, no princípio, são os primeiros chopes. A primeira etapa vai até o terceiro chope.

Do terceiro ao quarto chope, inclusive, contam-se anedotas. Quase todos já conhecem as anedotas, mas todos riem muito. A anedota é só pretexto para rir. A mesa está ficando animada, isso é o que importa. São cinco amigos.

Eu disse que eram cinco à mesa? Pois eram cinco à mesa. Dois casados, dois solteiros e um com a mulher na praia — quer dizer, nem uma coisa nem outra. E entram na terceira etapa.

Durante o quinto e o sexto chopes, discutem futebol. O que nos vai sair esse novo técnico? Olha, estou gostando do jeito do cara. E digo mais, o Grêmio não agüenta o roldão nesta fase do campeonato. Quer apostar? Não agüenta. Porque isto e aquilo, que venha outra rodada.

E — escuta, ó chapa — pode vir também outro sanduíche aberto e mais uns queijinhos.

O sétimo chope inaugura a etapa das graves ponderações. Chega a Crise e senta à mesa. O negócio não está fácil, minha gente. Vocês viram a história dos foguetes? Na Europa, anda terrorista com foguete dentro da mala. Em plena rua! O negro entra num hotel, pede um quarto, sobe, abre a mala, vai até a janela e derruba um avião. Derruba um avião assim como quem cospe na calçada!

São homens-feitos, homens de sucesso, amigos há muitos anos. Nenhum melhor do que o outro. A etapa das graves ponderações deságua, junto com o nono chope, na etapa confidencial. Pois eu ouvi dizer que quem está por trás de tudo... Agora todos gritam, as confidências reverberam pelo bar. Os cinco estão muito animados.

Um deles ameaça ir embora mas é retido à força. Outra rodada! Hoje ninguém vai pra casa. Começa a etapa inteligente. Todos dizem frases definitivas que nenhum ouve, pois cada um grita a sua ao mesmo tempo. Doze chopes. Treze. Começa uma discussão, ninguém sabe muito bem se sobre palitos ou petróleo. A discussão termina quando um deles salta da cadeira, dá um murro na mesa e berra: "E digo mais!". Faz-se silêncio. O quê? O quê? "Eu vou fazer xixi..."

Com 15 chopes começa a fase da nostalgia. Reminiscências, autoreprimendas, os podres na mesa. As grandes revelações. Eu sou uma besta... Besta sou eu. Tenho que mudar de vida. Eu também. Cada vez me arrependo mais de não ter... de não ter... sei lá! E então um deles, os olhos quase se fechando, diz:

— Sabe o que é que eu sinto, mas sinto mesmo?

Ninguém sabe.

— Sabe qual é a coisa que eu mais sinto?

— Diz qual é.

— Sabe qual é o vazio que eu mais sinto aqui?

— Diz, pô!

— É que eu nunca tive um canivete decente.

O silêncio que se segue a esta revelação é mal compreendido pelo garçom, que vem ver se querem a conta. Encontra os cinco subitamente sóbrios, olhando para o centro da mesa com o ressentimento de anos. É isso, é isso. Um homem precisa de um canivete. Não de qualquer canivete, não desses que dão de brinde. Um verdadeiro canivete. Pesado, de fazer volume na mão, com muitas lâminas. Um canivete decente.

— Eu tive — diz, finalmente, um dos cinco. É uma confissão.

E os outros olham para ele como se olha para um homem completo. Ali está o melhor deles, e eles não sabiam.

Noites do Bogart

— Tu vens sempre aqui?

— Não, primeira vez.

— O que está achando?

— Um espetáculo.

— Bacana, né?

— Puxa. Só.

— Eu acho que eu já te conheço...

— Pode ser.

— Tu não é amiga do Alicate?

— De quem?

— Do Pereira.

— Fui namorada dele. Mas faz horas.

— Eu sabia! Grande Pereira...

— É...

— Eu falo como amigo. Pra namorar, não sei.

— Um pouco complicado.

— O Alicate, complicado?

— Não queira saber. Aquilo é um poço de complicação. Eu é que sei.

— O Alicate?! Veja você. Sempre achei que não havia no mundo ninguém menos complicado que o Alicate. A gente não conhece as pessoas, mesmo.

— Será que nós estamos falando da mesma pessoa? Eu não sabia que o apelido dele era Alicate.

— Eu não sabia que ele era complicado. E olha que conheço o Alicate desde que a gente era deste tamanho. Da turma da Mostardeiro.

— Só vou dizer uma coisa. Nós desfizemos o casamento porque o analista dele foi contra.

— O Alicate no analista?! Não. Espera um pouquinho.

— Ele começou a se analisar quando nós começamos o namoro.

— Então me desculpa. Foi você que complicou a vida do Alicate.

— Como, eu?

— Não. Desculpe. É só um palpite. Mas quando eu conheci o Alicate, ele era cuca fresquíssima. Mais normal que, sei lá. Alguma você andou aprontando.

— Eu?! Essa é muito boa. Você não sabe a barra que eu tive que segurar com o seu amigo. Não sei como eu não enlouqueci.

— Sei não. Sei não.

— Aquele é um neurótico.

— Olha aqui. Não fala do Alicate.

— Alicate, Alicate. Grande coisa, o seu Alicate.

— Não fala do Alicate!

* * *

— Solange...

Ele dizia "Solange" em francês, prolongando a segunda sílaba e encurtando a última.

— Solange...

— Não enche, Carlos Henrique.

— Você tem que se lembrar de uma coisa: um beijo ainda é um beijo.

— Quer parar?

— Um suspiro ainda é um suspiro.

— Olha que eu me levanto e vou embora.

— As coisas fundamentais é que importam.

— Eu me levanto e vou embora!

— *As time goes by.*

— Sabe o que você é, Carlos Henrique? Quer saber o que você é?

— E quando dois amantes namoram...

— Você é um inconseqüente. É o que você é. As pessoas, aí, fazendo coisas, coisas importantes, e você nem tá. Você...

— Ainda dizem o quê? O quê? *I love you.*

— Chega pra lá, Carlos Henrique!

— Nisso você pode confiar, beibi.

— Eu não agüento mais, sabia? Você pensa que eu estou brincando? Não agüento mais. Uma pessoa com seu talento e que pôs tudo fora. Que não leva nada a sério. Sabe o que que eu dou graças a Deus? Sabe?

— Não importa o que traga o futuro.

— É que nós não tivemos filho. Graças a Deus. Posso deixar você sem remorso. E vai ser agora.

— Solange...

— O quê?

— *As time goes by.*

— Pronto. Agora eu vou. Quer largar o meu braço?

— Só mais uma coisa.

— O quê, Carlos Henrique?

— Luar e canções de amor nunca saem de moda. Corações cheios de paixão, ciúmes e ódio. A mulher ama o homem, Solange, e o homem precisa de uma companheira, isso ninguém pode negar, poxa.

Solange levantou e foi embora, esbarrando no Pinheirinho, que acabava de chegar. Carlos Henrique pegou sua bebida e se mudou para outra mesa. Falou no ouvido da Ana Paula:

— Aninha...

— O quê, Cacao?

— Ainda é a velha história. Uma guerra por amor e glória. Uma questão de conseguir ou morrer. No mundo sempre haverá lugar para amantes, Aninha.

— É?

* * *

O Xavier chegou com a namorada mas, prudentemente, não a levou para a mesa com o grupo.

Abanou de longe. Na mesa, as opiniões se dividiam.

— Pouca vergonha.

— Deixa o Xavier.

— Podia ser filha dele.

— Aliás, é colega da filha dele.

— O quê?!

— Foi assim que eles se conheceram.

— Como vocês são, hein? Só porque há uma diferençazinha de idade...

— Diferençazinha, é?

— Se uma mulher fizesse o mesmo, vocês caíam em cima. Como é homem, pode.

— Deixa o Xavier.

Na sua mesa, o Xavier pegara na mão da moça. Pela primeira vez em muitos anos, fizera gargarejo antes de sair de casa. Disse:

— Está gostando?

— Pô. Só.

— Chocante, né? — disse o Xavier. E depois ficou na dúvida. Ainda se dizia "chocante"?

— Tu vem muito aqui?

— Eu? Às vezes. Come alguma coisa? A comida também é boa.

— Obrigada. Eu comi em casa. Ainda estou cheia.

— Bebida?

— Campari.

Ele também pediu campari, que odiava. Propôs um brinde:

— A nós.

— Pô. Só.

Beberam, em silêncio. Depois ele disse:

— Boa a música, né?

E ela disse:

— Da massa.

E ele disse:

— Quer dançar?

E ela disse, sem pensar:

— Depois, tio.

E ficaram em silêncio. Ela pensando "será que ele ouviu?". E ele pensando "faço algum comentário a respeito, ou deixo passar?". Decidiu deixar passar. Mas pelo resto da noite aquele "tio" ficou em cima da mesa, entre os dois, latejando como um sapo. Ele a levou em casa, depois voltou. Sentou com os amigos.

— Aí, Xavier. E a namorada?

Ele não respondeu. Estava dando instruções detalhadas ao garçom sobre como queria seu uísque. Depois pediu ao garçom que dissesse para o Dorfmann tocar *As time goes by* — bem lento. Depois ficou parado ouvindo. Os outros não olharam para ele, em respeito. Há quem afirme que ele soluçou. Pelo menos alguma coisa fez tilintarem as medalhas penduradas sobre o peito.

* * *

A questão na mesa era: se acontecer o pior, para onde você vai?

— Tem um hotelzinho em Paris... — disse o Pedro Paulo.

— Sempre tem um hotelzinho em Paris... — disse o Cabeça.

O Pedro Paulo e o Cabeça se implicavam cordialmente.

— Me instalo lá e mando ver.

— Com que dólares?

— Ora, dólares.

— Não. Com que dólares? Passagem. Quarto. Comida. Vai viver do quê?

— Cantando no metrô.

— Já ouvi você cantar, Pepê. Você seria massacrado dois segundos depois de abrir a boca. Jogariam você pela janela.

— Me visto de mulher e vou dar no Bois de Boulogne. Está entendendo?

O Pedro Paulo já estava se levantando, irritado.

— Calma, calma — pediu o advogado. — A pergunta é hipotética, pessoal!

— Não te preocupa comigo! — disse o Pedro Paulo para o Cabeça, sentando mas ainda irritado.

— Eu voltava pra Palmeiras — disse a Marta, despreocupada.

— Mas como. Palmeiras não é Brasil?

— É, mas sei lá, né?

— É o Brasil mas nem tanto — acudiu o Batista.

— Pois eu vou dizer uma coisa — disse o Norberto. — Já tenho o meu fundo de fuga.

— Ah, é?

— Tou juntando o que posso.

— Vai pra onde?

— Bom, já tenho bastante pra chegar no Chuí. Mais um pouco e eu cruzo a fronteira.

— Vou pra Miami — disse a Lu. — Lavar prato, qualquer coisa.

— Tá doida. Lá só tem latino-americano. Eu não convivo com latino-americano aqui, vou conviver lá?

— E nós, o que somos?

— Mas tem um limite, não é, Cabeça?

Ninguém entendeu, mas deixaram pra lá. O Batista se virou pro Camarão.

— E tu, Camarão?

— Eu o quê?

O Camarão era meio distraído.

— Se acontecer o pior, você vai pra onde?

— Venho pra cá.

— Pro "Bogart"?

— É.

— Sério, Camarão — disse o Norberto.

— Eu estou falando sério. Venho pra cá. Não saio daqui. O exílio perfeito.

O Camarão obviamente não falava sério e o Norberto começou a dizer para onde iria, mas o Camarão insistiu:

— Sabem por quê? Sabem por quê?

— Por quê, Camarão?

— Porque vocês não estariam aqui!

O Pedro Paulo quis reagir, mas o advogado o deteve com um gesto. Tinham que compreender o Camarão. Aquele problema na pele, e ainda por cima funcionário público. Mudaram de assunto.

* * *

Era a primeira vez que os dois saíam juntos, e a Maria José, assim que sentaram, perguntou:

— Lês muito?

Ele não entendeu.

— "Lês muito"?

— Livros. Gostas de ler?

— Ah. Gosto. Quando sobra um tempinho, né.

— A gente não tem tempo pra mais nada, né? Tou com um Paulo Coelho na minha cabeceira e não consigo terminar.

— Eu também!

— Que coincidência!

Escolheram, por outra coincidência, o mesmo prato. E foram descobrindo afinidades, como disse muitas vezes a Maria José, "incríveis", durante todo o jantar. Só não tinham o mesmo entusiasmo pelo Djavan e discordavam frontalmente quanto a mocotó, mas no mais as coincidências eram incríveis, incríveis mesmo.

— Parece que a gente já se conhece há tanto tempo, Maria José!

— Me chama de Zequinha.

E ele não é feio, pensou a Maria José. As costeletas compridas estavam fora de moda, mas, que diabo, podiam voltar à moda a qualquer momento. Ela perguntou:

— Gostas de cinema?

— Gosto. Viste *O Silêncio dos Inocentes*?

— Se vi. Loucura, né?

— Eu me identifiquei muito com o personagem.

— A moça?

— Não. Ele.

— O rapaz?

— Não, o outro.

— O tarado?!

— Por que "tarado"?

A Maria José hesitou. Talvez fosse melhor mudar de assunto. Ou talvez não.

— Espera aí. O vilão? O Anthony Hopkins?

— É.

— Você não achou que ele era tarado?

— Às vezes, só porque uma pessoa diverge de certo comportamento considerado "normal", não é compreendida. No meu caso, por exemplo...

Mas a Maria José tomara uma decisão.

— Eu não quero ouvir.

— Mas Zequinha...

— Me fala do teu trabalho. É com computador, né?

— Bem. Sim. Eu...

E a Maria José se debruçou, sorrindo, sobre o prato vazio da sobremesa, para ouvir com mais atenção. Iam se dar bem. Iam se dar muito bem. Ela só precisava tomar cuidado em certas áreas. Mas iam se dar muito bem.

* * *

— É Diana.

— Como a deusa.

— Qual?

— Diana, a Caçadora.

— Não, não. Minha mãe me disse que é por causa de uma artista.

— Diana Durbin.

— Não. Nem sei se é artista. Não tinha uma música?

— Que idade tem a sua mãe?

— Quarenta e um.

— É música. "Uou, uou, Daiana".

— Como é que você conhece?

— Eu sou mais velho do que pareço. Quantos anos você me dá?

— Ahm, deixa eu ver. Quarenta e...

— Fogo!

— Oito.

— Sei.

— Desculpe. Eu...

— Quarenta e dois, mas tudo bem.

— E o seu nome, como é?

— Benito.

— O quê?!

— Pois é. Foi meu pai que botou. Tenho um irmão que se chama Adolfo. E o outro, Franco.

— Benito... É bonito.

— Eu sempre odiei. Quando eu era guri, anunciei que queria mudar de nome. Pra Hopalongue. Meu pai me deu uma surra.

— Você não parece que tem 48. Nem 42. Juro.

— Não adianta. O mal está feito. Garçom: cicuta. Com açúcar na borda do copo.

— Você não tem uma ruga!

— Tenho algumas em casa. É que eu sou um inconsciente. Ainda sei toda a letra de *Diana*. Pra você ver como tem espaço no meu cérebro. Eu...

— Bom. Prazer, hein?

— Você já...

— Já. Estou com aquele grupo ali. Tchau. Acho bonito, Benito.

— Escuta.

— O quê?

— Me apresenta a tua mãe, um dia?

* * *

Foi o primeiro encontro depois da briga.

— Oi.

— Oi.

— Tudo bem?

— Tudo. Você?

— Bem, bem.

— Então, tudo bem.

— Escuta...

— Arrã.

— Ficaram umas fotos suas lá em casa.

— Minhas?

— É. Com o Bismark.

— Ah. Aquelas de Capão?

— É.

— Pode ficar, eu...

— Mas eu não quero.

— Bom, então...

— Só estão ocupando espaço.

— Certo. Eu mando buscar.

— Obrigada.

— Falar nisso, você sabia que o Bismark morreu?

— O quê?!

— Morreu.

— Atropelado?

— Não. Uma doença. Já estava meio velho, também. Sabe como é.

— Pobre do Bismark.

— Pois é.

— Cê deve ter ficado arrasado, não ficou não?

— A gente se acostuma, não é? Com perdas.

— Isso é.

— É a vida.

— Falou.

— Eu mando buscar as fotos.

— Não, eu...

— Você quer ficar com elas?

— Não. Eu pensei, né? Como recordação. Afinal, aqueles dias em Capão foram legais.

— Eu também achei.

— Quem sabe eu...

— Pode ficar com as fotos.

— Não, eu pensei o seguinte. Quem sabe eu recorto as fotos. Devolvo o lado em que aparece você e fico com o lado em que aparece o Bismark.

Começou a tocar *As time goes by*.

— Tá.

— Você não se importa?

"*You must remember this...*"

— O que é isso? Tudo bem.

"*A kiss is still a kiss...*"

— Então tchau, hein?

"*A sigh is just a sigh...*"

— Tchau.

* * *

Torpedo, não. Foi um Exocet.

"Te beijo toda."

A Manon ainda tentou dobrar o papel antes que o Hamilton visse, mas tarde demais. Ele pegou o papel, leu, depois olhou em volta, tentando identificar o autor.

— Não liga, amor.

— Não liga, não. Estão pensando o quê?

O Hamilton se fixou num cara encostado no bar que olhava fixo para a mesa deles, com um sorriso nos lábios.

— É aquele.

— Deixa pra lá.

Mas o Hamilton não era homem de deixar pra lá. Levantou-se. A Manon ainda tentou segurar o seu braço mas não conseguiu. Ele dirigiu-se para o cara do bar. Que, quando viu o Hamilton se aproximando, expandiu o sorriso e disse "Olá!". O Hamilton hesitou.

Eu conheço esse cara?

— Como é que vamos?

— Muito bem. E tu?

— Bem. Vem cá.

— O quê?

— Nós nos conhecemos?

O outro apertou os olhos e examinou a cara do Hamilton.

— Por quê? — perguntou.

— Nos conhecemos ou não nos conhecemos?

O outro ficou sério.

— Olha aqui, ó...

— Olha aqui não senhor. Olha aqui digo eu.

— Qualé, cara?

— Tá me achando com cara de quê?

— Iiih...

— Tá olhando pra minha guria pra quê?

— E eu sei lá quem é a tua guria?

— Sabe sim. Não tira os olhos dela. Vê lá, hein?

Alguém se aproximou e sugeriu, discretamente: "Baixem a bola." Antes de voltar para a mesa, o Hamilton ameaçou: "Continua olhando com essa cara de bobo pra tu vê só." Depois que o Hamilton se afastou, o cara do bar ficou pensando, eu tenho que acabar com esta vaidade cretina e começar a usar os óculos. Esta miopia ainda me destrói.

Antes do Hamilton chegar na mesa, a Manon escondeu, depressa, o segundo bilhete que recebera.

"Aproveita que ele saiu da mesa e foge comigo, vai."

* * *

— Eu adoro o verão. A, dê, ó, erre, erre, o! — disse ela, repetindo o erre para ênfase.

— Eu detesto.

— Eu sei.

Uma vez ela o tinha arrastado para a praia. Ele passara o tempo todo de camisa, com a gola virada para proteger a nuca. E de chapéu. Ela tentara atiçar o entusiasmo dele.

— Não é bom? Diz a verdade.

— Fora o sol, a areia e o mar, é.

— Tu não tem jeito mesmo...

Com a volta do verão, ela recomeçava a campanha para levá-lo ao mar.

— Tu tá branco como vara verde.

Ela era assim, misturava os símiles.

— É a minha cor natural. A legítima.

— Tem que pegar um sol.

— Sol é das coisas mais perigosas que existem. Deixa ele lá e eu aqui.

— Ar livre. Oxigênio!

— Sempre achei o oxigênio muito supervalorizado. Se oxigênio fosse bom, a humanidade não estava do jeito que está.

— Uma vida saudável!

— Vida saudável é esta.

E ele fazia um gesto que englobava tudo em volta. Dizia:

— Aqui não tem nada que não foi feito pelo homem. Nada. Das paredes a este cinzeiro. Daquela peruca a esta bebida. Aqui eu me sinto seguro. Acho que a Natureza tem o seu lugar, mas não é o meu.

— Você está com a cara do vampiro de Frankenstein.

— E outra coisa — disse ele. — Você já imaginou o Rick na praia?

— Rick?

— De *Casablanca*. O Rick jogando peteca? O Rick furando onda? Em *Casablanca* só tem uma cena em que ele aparece à luz do sol, e não parece muito feliz.

— Quer dizer que você não vem?

— Só vou à praia quando botarem ar-condicionado.

— Pois eu vou. Só volto em março.

— Você me encontrará aqui.

— Olha que eu vou sozinha. Abro a casa e fico até março.

— Você nunca estará sozinha. Sempre haverá os mosquitos.

— Sabe o que você é? Tantã!

Ela era assim. Ainda dizia "tantã".

* * *

Ele sentiu uma certa frieza. Pelo menos, não era como tinha sido na praia.

— Algum problema?

— Nada. Por quê?

— Você parece... diferente.

— Só porque eu não quis dançar?

Na praia era ela que puxava ele para dançar. Agora não queria.

— Não tô com vontade. Só isso.

— Tudo bem.

— Vai ficar chateado só porque...

— Olha aqui, Rô!

O nome dela era Roraima mas desde o começo ele decidira que não a chamaria assim. Rô.

— Olha aqui. Não vamos entrar nessa. Se você não tá mais a fim, tudo bem.

— Mas o que é isso?

— É só dizer. Não quer mais, pronto. Mas não fica me enrolando.

— Você enlouqueceu, é? Pirou?

— Comigo é ali. — E ele mostrou onde era, na mesa. — Na batata. Quer, quer. Não quer, boa-noite.

— Vê se me esquece, tá?

Ficaram os dois emburrados, cada um olhando para um lado. O garçom veio tirar o pedido e cada um fez o seu, irritado. Na praia ele tinha achado engraçado ela pedir sempre alexânder. Agora achava ridículo. Alexânder! Era melhor acabarem logo de uma vez.

Mas na última noite, na beira da praia, no carro, com lua, ela tinha dito que aquele fora o melhor verão da sua vida. E ele ficara engasgado. Homem-feito, e engasgado por causa de uma mulher chamada Roraima, pensando até em casamento, o Brasil naquela merda e ele ali, engasgado e feliz. E naquela noite tinham jurado que seria por toda a vida.

— Sabe o que é que diz uma amiga minha?

Ele virou-se para encará-la como se fizesse um favor. Vamos lá, que bobagem diz a sua amiga?

— Ela diz que amor de verão nunca dura mais que o bronzeado.

— Mas como? É uma maldição?

— Ela diz, só isso.

— Está nos estatutos? É lei? Que cretinice.

Ela tentou um gesto de paz. Puxou a mão dele e disse:

— Está bem. Vamos dançar.

— Agora eu não quero.

Ela suspirou. Ele tentou ser irônico.

— Toda vida dura cada vez menos, ultimamente.

— O quê?

— Nada. Toma o teu alexânder.

Rubens

Tinha pouca gente no bar, quando o homem entrou. Ele sentou numa banqueta do bar, sorriu para o *barman* e pediu:

— Dois uísques.

— Dois?

— Um puro, com gelo, pra mim, outro com soda para o Rubens.

O *barman* sorriu.

— O Rubens vai chegar depois?

— O Rubens está aqui do meu lado.

O *barman* hesitou, continuou sorrindo, depois deu de ombros. Tudo bem. Dois uísques, sendo um com soda para o Rubens. Colocou os dois uísques na frente do homem, que empurrou o que tinha soda para o lado. Depois de tomar o seu, o homem falou.

— Rubens, telefone para casa e xingue a sua mulher. Agora. Ela compreenderá.

Em seguida o homem tomou o uísque com soda também e confidenciou para o *barman*:

— Na verdade, eu não bebo. Só venho para acompanhar o Rubens e evitar que ele beba demais. Notou como eu tomo o uísque dele sem ele perceber? É o jeito. Senão ele fica inconveniente. Canta "Conceição". O diabo. Põe outro com soda aqui pro Rubens não notar que eu bebi o dele.

— Mas ele é parente seu?

— Que parente? Eu nem conheço.

— Mas então por que...

— Olha aqui, não fala assim do Rubens. É um grande cara. Teve uma vida cachorra, entende? Cachorra. Não foi nada que quis ser na vida. Tem problemas em casa. Olha, ele está voltando e vai lhe acertar uma.

— Mas o que foi que eu fiz?

— Fica aí insinuando que ele é doido. Só porque tem um amigo imaginário. Pois o amigo dele sou eu e eu existo. Ou não existo?

— Calma, calma.

— "Conceição, ninguém sabe..." Põe mais dois aqui. Um só com gelo e um com...

— O senhor não acha que já bebeu demais?

— Como é que eu vou saber? Estou bêbado.

— Acho que chega.

— Então traz só o do Rubens.

— É melhor o senhor ir pra casa.

— Não contraria o Rubens que é ele que tá pagando!

Primavera

Todos na roda estavam no lado mais curto dos 60, em que o espírito ainda quer, mas a carne nem sempre pode. Sobrava-lhes a literatura. Ou a memória, que neste estágio muitas vezes também é uma categoria de ficção.

— Ah, as balzaquianas... — disse um. — Sempre preferi as balzaquianas.

— Mmmm... — disse outro.

— Hrmfl — concordou um terceiro.

— Chega! — disse um quarto, com tanta veemência que fez tremerem as xícaras e acordar um parnasiano. — Por que só Balzac deve servir de parâmetro para tipos de mulher? E as proustianas? E as maupassianas?

— Eu sempre gostei das machadianas.

— As alencarinas.

— As amadianas!

— Mmmm...

— Hrmfl...

Por um instante o ar em torno deles se encheu de mulatas bem fornidas que só usavam um vestido fino sobre a pele. E suspiros.

— Há mulheres goethianas...

— Conheci várias.

— Stendhálicas.

— Dostoievskianas.

— Tolstóicas!

— E não podemos esquecer — disse um piscando um olho — as dantescas. No bom sentido.

— Mmmm...

— Hrmfl...

— Pois eu — disse um que ainda não tinha falado — prefiro as kafkianas.

Todos o olharam com respeito.

— Conta.

Serviram-lhe mais chá, como estímulo.

Mas ele se fez de difícil.

— Todos sabem como são as kafkianas.

— Acho que nunca conheci uma kafkiana... — disse um do seu lado, com pesar.

— São sumidouros, sumidouros.

E balançou a cabeça, dando a entender que nem ele sabia como escapara vivo da sua obsessão. Entrou em detalhes.

— São quase sempre magras. Até tirarem a roupa.

— Ah, *les faux maigres*... — disse um, olhando em volta. Os outros deviam saber o que aquilo significava. Ou pelo menos se lembrar.

— Morenas. Cabelos lisos. E olhos negros e profundos.

— Lagos de infinito — sugeriu alguém.

— Como é a abordagem? — perguntou um mais prático.

— Gostam de ser desafiadas. Com elas, a primeira frase deve sempre ser alguma coisa enigmática. Por exemplo: "Leu os *Upanishads*?".

— E ela? E ela?

— Depende. Pode dizer "estou esperando o filme" ou jogar o conteúdo do seu copo na sua cara.

— Bebem?

— Só destilado, puro. Passam horas em silêncio. Ou então pulam em cima da mesa e gritam: "Sou mais maníaco-depressiva que qualquer um nesta joça!".

— E na cama?

— Criativas. Exigentes. Depois questionam tudo, desde o sentido da existência até o tamanho do seu sexo.

Todos olhavam para o depoente boquiabertos. E pensar que ele era casado com dona Ritinha, com sua alma de cristaleira e seu colo de embalar neto. Alguém comentou:

— Não sei se teria estrutura para agüentar uma mulher dessas...

— Nem eu. No máximo uma tchekhoviana. E olhe lá.

O que preferia as kafkianas sorria, compreensivo. Tinham razão. Mas o que ele podia fazer? Era um insensato.

— São sumidouros. Sumidouros!

— E uma lawrenciana. Hein? Hein? Para um passeio no mato...

— Uma ibsenética...

— Uma flaubertálica...

— Mmmm...

— Hrmfl...

Foi quando o parnasiano, que parecia ter dormido de novo, falou pela primeira vez.

— E o que me dizem de uma nabokoveta?

As xícaras tremeram.

Metafísicas

!

E se um asteróide...

E se um asteróide fosse se chocar com a Terra, e não houvesse nada a fazer para evitar o nosso fim? Como nos comportaríamos?

Nos convenceríamos, finalmente, de que somos uma única espécie frágil num planeta precário e viveríamos nossos últimos anos em fraternidade e paz, ou reverteríamos ao nosso cerne básico e calhorda, agora sem qualquer disfarce? Nos tribalizaríamos ainda mais ou descobriríamos nossa humanidade comum, e como eram ridículas as nossas diferenças? Jogaríamos nosso dinheiro fora ou cataríamos o dinheiro que os outros jogassem fora, pensando na remota possibilidade de comprar um lugar no último foguete americano a deixar a Terra antes do impacto? Perderíamos todo o interesse nos prazeres da carne e trataríamos de salvar a nossa alma ou, pelo contrário, nos entregaríamos à lascívia, ao deboche e à gula, ultrapassando, às gargalhadas, todos os nossos limites orçamentários?

Como os cientistas nos diriam até o segundo exato do choque com o asteróide com alguns meses de antecedência, seríamos a primeira geração sobre a Terra a viver com a certeza universal e pré-medida do seu fim — e a última, claro. Muitas seitas através da história e até hoje estabeleceram a hora e o modo de o mundo acabar e se prepararam para o evento. Nós seríamos os primeiros com evidência científica do fim, em vez de crença, o que nos levaria a tratar a ciência como hoje muitos tratam as crenças. Pois só a desmoralização total da ciência, só chamar o sistema métrico de ocultismo e termodinâmica de feitiçaria, nos daria a esperança de que os cálculos estivessem errados e o asteróide, afinal, passaria longe.

Se existissem foguetes salvadores e bases na Lua e em Marte esperando os sobreviventes, estaríamos diante de outra situação "Titanic". Quem vai nos foguetes? (Nada de mulheres e crianças — intelectuais primeiro!) Tem que ser americano? Quanto custaria uma terceira classe? Aceitam cartão?

Nós finalmente nos conheceríamos — e seria tarde.

Aquática

Me lembrei do ventre da minha mãe, eu flutuando dentro da bolsa d'água. Vidão. Casa e comida e não precisava nem mastigar. Dizem que do momento da concepção até o parto o homem recria no ventre materno toda a evolução da sua espécie. O espermatozóide que chega ao óvulo é como aquela primeira ameba que saiu do mar, recebeu uma descarga elétrica e começou a se reproduzir, e milhões de anos depois deu na Sharon Stone. Sim, porque a vida começou no mar, você sabia? O homem é um fruto do mar. A gente ainda tem no sangue restos de água salgada. É por isso que a Lua tem tanta influência na vida do homem, são as marés lá dentro. Você sabia que o feto de muitos peixes é igual ao feto do homem? Até o seu segundo mês de vida, nada está decidido. Você tanto pode ser um peixe quanto uma pessoa. Um linguado ou um advogado. Imagine se houvesse um descontrole genético qualquer. Imagine a cara do seu pai ao receber a notícia. "Parabéns, é um golfinho." Está explicada a atração do homem pelo mar. É o mesmo instinto que nos faz voltar pra casa. Por isso o mar é o símbolo de tanta coisa e domina a imaginação humana. Por isso as praias ficam cheias aos domingos. Por isso eu me entusiasmei e nadei para além da rebentação.

A rebentação! Viu como tudo se encaixa? O parto, o rompimento da bolsa d'água, a nossa chegada na terra, a ameba se transformando em réptil. Claro que para você, um salva-vidas, o mar não tem significado nenhum. É um emprego. Os salva-vidas são os burocratas do mar. Eu estou relaxado. Nunca me senti tão bem. Quase me afogar nunca tinha me acontecido antes. No momento que a gente se sente mais perdido, sozinho, indefeso contra a imensidão do mar, aí é que vem a revelação. Tudo se encaixa. Não somos nada e somos tudo. Somos o mar, somos aquela primeira ameba, somos a eternidade, somos o psat, proc, psut... Epa, acho que engoli água. Certo, vou parar de falar. Já chegamos na rebentação?

Me lembrei de tudo. Do meu primeiro banho. Das primeiras fraldas molhadas. Da água do batismo. Revi toda a memória aquática da humanidade. Os descobrimentos, os grandes naufrágios... A passagem das tribos de Israel pelo Mar Vermelho. O Dilúvio. Moby Dick. O Príncipe Submarino. Capitão Nemo. Esther Williams. Me lembrei de andar de quatro, depois andar ereto, depois virar um aquário na minha cabeça, com peixe e tudo. Me lembrei da vez que caí no chafariz da praça. Da primeira vez que vi um rio. Do primeiro xixi na piscina. E da primeira vez que vi o mar. Fiquei paralisado na frente do mar. Parecia uma coisa viva. Até aquele minuto, a maior coisa viva que eu conhecia era a minha tia Cenira, e o mar era maior do que a tia Cenira. Não tive medo, fui entrando, empolgado, emocionado. Quando a pessoa se embebeda, dizem que está na água, e deve ser por isto. Esta euforia, esta paz. Eu estava gritando por socorro? Não me lembro. É um fato muito recente para estar incluído nesta recapitulação. Talvez na próxima.

A gente se lembra de cada coisa. Me lembrei de onde guardei um velho chapéu que todos davam por perdido. Números de telefone.

Cenas do *Gunga Din*. Trechos de música. Velhas montagens do TBC com Tônia, Celli e Autran. A única vez em que tomei banho de banheira junto com uma mulher e inundamos o banheiro, o vizinho de baixo veio reclamar e como era mesmo o nome dela? Pensando bem, toda minha vida passou diante dos meus olhos, menos a parte em que eu aprendi a nadar.

O quê? Já dá pé? Posso caminhar até a praia? Obrigado. Puxa, obrigado. Sandra! O nome dela era Sandra. Ih, está cheio de gente assistindo à minha chegada. Obrigado, pessoal. Eu estou bem. Eu estou bem! Ih, olha a vaia. Vexame.

O homem que caiu do céu

O homem atravessou o telhado e caiu na cama ao lado da Denilda, que acordou com o estrondo, deu um grito, pulou da cama, correu do quarto e só voltou quando os bombeiros já tinham examinado os estragos no teto, a polícia já revistara o homem para descobrir sua identidade, o homem já tinha sido levado para o hospital, inconsciente, e ela já tinha sido acalmada pela mãe e por vizinhos.

De onde viera aquele homem? Não havia nenhum prédio mais alto do que a casa de Denilda nas redondezas, nenhuma estrutura de onde ele poderia ter caído ou sido jogado. Ele teria caído de um avião? Estava de terno e gravata, tinha um aspecto respeitável apesar dos estragos que sofrera ao atravessar o telhado e o forro da casa de Denilda, podia, sim, ser um passageiro de avião, até da classe executiva, mas como alguém cai de um avião sem ninguém notar? Nenhuma companhia aérea tinha dado falta de qualquer passageiro.

O terno, a gravata e o aspecto também eliminavam a possibilidade de o homem ter sido disparado de um canhão e, de certa maneira, de ser um ladrão que andava pelo telhado e se dera mal. E, mesmo, o estrago no telhado era muito grande para ter sido causado apenas por um ladrão sem sorte. O estrago só poderia ter sido feito por alguém caindo de uma grande altura.

O homem não tinha nada nos bolsos que o identificasse. Suas roupas não tinham qualquer etiqueta. Dois dias depois da queda, ele recuperou os sentidos, no hospital, mas não se lembrava de nada. Nem do próprio nome, muito menos de onde caíra sobre o telhado da Denilda. Que foi visitá-lo no hospital, junto com a mãe. Quando viu Denilda, o homem sorriu e disse "oi". Denilda não sabia se brigava com ele pelo susto que lhe dera (onde já se vira, cair assim sobre a casa de alguém!) e exigia que ele pagasse os consertos do telhado, ou se perguntava como ele estava. Ele continuava sorrindo para Denilda.

— Como você está?

— Bem, bem.

E, milagrosamente, estava bem. Fora alguns rasgões na roupa, estava inteiro. Nada quebrado. Um milagre. Ele falava um português engraçado. Sem sotaque, mas cuidadoso, como se recém tivesse aprendido a língua. Se tinha família, e algum lugar para onde ir quando saísse do hospital, não sabia. Dinheiro? Também não se lembrava.

Denilda decidiu levá-lo para casa. Até ele recuperar a memória. A mãe não gostou mas acabou concordando. Afinal, era Denilda que trabalhava e mantinha a casa. Denilda, que estava se aproximando dos 40 e nunca se casara. Que dizia que homem como ela queria não se encontrava em qualquer lugar. Que já tinha desistido de encontrar um homem como ela queria, em qualquer lugar.

Na saída do hospital, tiveram que enfrentar a imprensa. A notícia do misterioso bólido humano chegara aos jornais. Denilda respondeu às perguntas dos repórteres. Disse que se responsabilizaria por ele, até que aparecesse algum familiar, ou alguém com informações sobre seu passado e as circunstâncias de ele ter caído sobre o seu telhado. O homem só sorria.

O homem nunca recuperou a memória, e, aos poucos, Denilda foi aceitando a conclusão de que ele não tinha memórias para recuperar. As amigas que vão visitá-la ficam encantadas com o Vando — ela decidiu chamá-lo Vando — e mais de uma começou a dizer, ao ver Vando ajudando a Denilda em casa e sendo tão carinhoso com ela, "mas esse homem caiu do...", antes de se controlar. A própria Denilda tenta não pensar na forma como Vando despencou na sua vida. Não, não é que ela não se sinta à vontade com a metafísica e não queira especular sobre preces atendidas, e o que ela fez para merecer aquela dádiva do céu.

As perguntas de Denilda são outras. Que mérito há em ter o homem que se pediu a Deus se ele cai, literalmente, na sua cama, sem nenhum mérito seu? Se você não o conquistou, apenas o encomendou?

— Onde é que fica o meu amor-próprio? — foi o que ela perguntou ao Vando, na cama, na outra noite. Ele apenas sorriu, beijou o seu ombro e perguntou "vamos outra vez?", mas ela o empurrou, irritada, reclamou que era impossível ter uma conversa séria com ele e ameaçou jogá-lo pela janela.

Preâmbulos

Quando alguém começa a frase com "Eu não sou racista, mas...", você pode estar certo de que o que segue será uma declaração racista que desmentirá espetacularmente o seu preâmbulo. Ninguém é mais racista do que quem começa dizendo que não é.

"Eu não sou moralista, mas..." geralmente precede uma posição moralista de embaraçar um Savonarola. "Eu não tenho nada contra, mas..." Segue um catálogo de coisas contra.

O hábito do preâmbulo imediatamente contrariado tem o seu lado bom. Significa que quem o usa pelo menos reconhece que vai destoar do que seria um pensamento normal, universal, esclarecido e correto. Que precisa se precaver e fornecer uma espécie de salvo-conduto para a sua opinião extrema. Às vezes o salvo-conduto vem no fim, como um adendo.

— Acho que, comunista, tem que matar.

Silêncio. Troca de olhares.

— Não que eu seja um reacionário...

Suspiros de alívio. Tudo esclarecido. O cara não é um reacionário. Ainda bem.

A verdade é que devemos ter muito cuidado com os preâmbulos. De preferência, fugir deles. Por exemplo:

— Posso te fazer uma pergunta?

Este é mortal. No meio de uma conversa, no meio de outras perguntas, vem o pedido de permissão para fazer uma pergunta. Que obviamente será mais séria, mais difícil e potencialmente mais indiscreta ou agressiva do que as perguntas para as quais nenhuma permissão é necessária. Evite-a.

— Posso te fazer uma pergunta?

— Não!

— Mas...

— Não pode!

Mas o pior preâmbulo, o que já deflagrou mais desentendimento e discórdia e acabou com mais amizades, casamentos e carreiras do que qualquer outro, o que deveria ser banido de todos os vocabulários para que a Humanidade vivesse em paz, é:

— Posso ser franco?

Não deixe! Exija falsidade, hipocrisia, mentiras ou silêncio. Tudo menos franqueza.

Melhor ainda: corra.

Viagem perfeita

Uma vez me perguntaram que viagem eu faria se não tivesse nenhuma limitação de tempo, transporte ou época. E orçamento, claro. A viagem perfeita. Concluí que nenhuma viagem assim poderia ser perfeita, pois, pelo menos na minha imaginação, sempre haveria um detalhe banal que estragaria o resto. Por exemplo.

Me vejo na Paris do fim do século passado e, em vez de um bulevar ou de um cabaré, estou num banheiro da época, tentando chegar a um acordo com o encanamento. Que, como se sabe, só começou a funcionar bem, na França, há poucos anos. É claro que não posso ir para os bulevares e os cabarés me encontrar com as grandes figuras da época sem antes tomar um bom banho, mesmo que as grandes figuras da época não façam o mesmo. Desisto de Paris do fim do século passado.

Ou estou na Roma dos Césares pensando em pegar um cineminha para descansar da caminhada no Fórum, e tendo que me resignar ao fato de que ainda não inventaram o cinema e que mesmo se tivessem inventado não adiantaria, porque até hoje não há bons cinemas em Roma e ainda por cima é tudo dublado. Ou na efervescente Florença dos Médicis abatido pela certeza de que a chance de ter ar-condicionado no hotel é nenhuma.

O ideal, claro, seria passar o dia na Viena dos Habsburgos desde que se pudesse dormir na Viena com televisão no quarto, ou dar uma fugida para ver o Duke Ellington tocar no Cotton Club do Harlem sem necessariamente ter de ficar na Nova York daquele tempo. Mas aí não seria mais imaginação, seria delírio. Prefiro tirar minhas férias de sonho no presente, com todas as suas amenidades. E decidi que a minha grande viagem se resumiria a ficar em todos os hotéis do mundo que eu até hoje só namorei de fora, pensando em como seria um dia chegar na recepção e pedir uma suíte, champanhe no quarto e alertem a massagista.

O que eu pediria ao Diabo

A lenda de Fausto e do seu pacto com o Diabo foi usada por escritores como Goethe e Thomas Mann, e pode ser interpretada de várias maneiras. Fausto simbolizaria a ambição humana pelo poder em confronto com Deus e o Destino, ou o espírito humano disposto a desafiar a Natureza e a danação eterna pelo conhecimento. De qualquer jeito, é o mito inaugural do homem moderno, o que sacrificou sua alma para ter a Ciência. E é revivido cada vez que alguém precisa decidir, mesmo metaforicamente, se aceita ou não negociar a alma com o Diabo. Ou que alguém apenas imagine como agiria na mesma situação.

Eu, por exemplo, já pensei muito no que pediria ao Diabo em troca da minha alma. Já que não quero nem poder, nem glória, nem, na minha idade, loiras ilimitadas. O que seria? Não, não pediria Sabedoria, nem domínio sobre o Tempo e o Espaço. Pediria, para começar, que a minha mala fosse sempre a primeira a aparecer na esteira, no aeroporto.

— O quê?! — diria o Diabo.

— Quero que a minha mala seja sempre...

— Eu ouvi. Só não acreditei. Você tem certeza de que é isso mesmo que quer? Em troca da sua alma?

— Para começar.

— Pense no que está fazendo! É a sua alma, a sua eternidade, que você está me entregando. E em troca quer essa... Essa mesquinharia?!

— Mesquinharia? Pra você. Minha mala nunca, nunca!, é a primeira a aparecer na esteira. Isso é uma aberração estatística. Pelo menos uma vez ela poderia ter aparecido, mas nunca aconteceu. Quero ter a felicidade de ver a minha mala aparecer na esteira do aeroporto na frente das outras. E não uma vez. Todas as vezes!

— Você não quer conhecer os segredos da Matéria e do Universo? Você não quer todos os poderes do mundo?

— Quero um poder só.

— Qual?

— O de poder abrir celofane de CD com a unha.

— Como é?

— Quero o poder de arrancar o celofane que envolve os CDs usando só a unha, sem precisar recorrer a tesourinhas, facas ou dentes, rapidamente e na primeira tentativa.

— Está bem — suspira o Diabo. — O que mais?

— Preciso pensar um pouco. O que mais? Ah, sim. Cartilagem de galinha.

O Diabo não consegue mais nem falar. Me manda prosseguir com um gesto desanimado.

— Não quero mais ter a surpresa de morder uma cartilagem de galinha, frango ou galeto. Nunca mais. Pelo resto da vida.

O Diabo parece estar a ponto de desistir, de mim e da minha alma. Ele deveria ter previsto isto, quando eu o convenci a aceitar minha assinatura no contrato com Bic vermelha em vez de sangue. Mas o contrato está assinado e tem que ser honrado.

— Que mais? — pergunta o Diabo, de olhos fechados.

— Vaga em estacionamento de *shopping*. Sem precisar rodar muito. Para sempre.

— Tá bom. Que mais?

— É isso.

O Diabo abre os olhos. Tenta, pela última vez, dar um significado maior ao nosso encontro, ou um valor maior à sua compra.

— Tem certeza? Você não quer que eu lhe revele a Razão e o Objetivo da Existência?

— Tá doido.

— Não quer nada mais em troca da sua alma? Nenhum outro saber que a maioria dos mortais não tem?

— Nenhum.

Mas aí me ocorre outro.

— Ah, sim. Quero saber acertar o *timer* do videocassete!

E então o Diabo desiste. Concluindo: não há mais Faustos como antigamente.

Metafísica

Quando Einstein morreu, foi para o céu, o que o surpreendeu bastante. Assim que chegou, Deus mandou chamá-lo.

— Einstein! — exclamou Deus quando o avistou.

— Todo-Poderoso! — exclamou Einstein, já que estavam usando sobrenome. E continuou: — Você está muito bem para uma projeção antropomórfica da compulsão monoteísta judaico-cristã.

— Obrigado. Você também está ótimo.

— Para um morto, você quer dizer.

— Eu tinha muita curiosidade em conhecer você — disse Deus.

— Não me diga.

— Juro por Mim. Há anos que Eu espero esta chance.

— Puxa...

— Não é confete, não. É que tem uma coisa que eu queria lhe perguntar...

— Pois pergunte.

— Tudo o que você descobriu foi por estudo e observação, certo?

— Bem...

— Quer dizer, foi preciso que Eu criasse um Copérnico, depois um Newton etc. para que houvesse um Einstein. Tudo numa progressão natural.

— Claro.

— E você chegou às suas conclusões estudando o que outros tinham descoberto e fazendo suas próprias observações de fenômenos naturais. Desvendando os meus enigmas.

— Aliás, parabéns, hein? Não foi fácil. Tive que suar o cardigã.

— Obrigado. Mas a teoria geral da relatividade...

— Sim?

— Você tirou do nada.

— Bem, eu...

— Não me venha com modéstia — interrompeu Deus. — Você já está no céu, não precisa mais fingir. Você não chegou à teoria geral da relatividade por observação e dedução. Você a bolou. Foi uma sacada, é ou não é?

— É.

— Maldição! — gritou Deus.

— O que é isso?

— Não se escapa da metafísica! Sempre se chega a um ponto em que não há outra explicação. Eu não agüento isso!

— Mas escuta...

— Eu não agüento a metafísica!

Einstein tentou acalmar Deus.

— A minha teoria ainda não está totalmente provada.

— Mas ela está certa. Eu sei. Fui eu que criei tudo isso.

— Pois então? Você fez muito mais do que eu.

— Não tente me consolar, Einstein.

— Você também criou do nada.

— Eu sei! Você não entendeu? Eu sou Deus. Eu sou a minha própria explicação. Mas você não tem desculpa. Com você foi metafísica mesmo.

— Desculpe. Eu...

— Tudo bem. Pode ir.

— Tem certeza de que não quer que eu...

— Não. Pode ir. Eu me recupero. Vai, vai.

Quando Einstein saiu, viu que Deus se dirigia para o armário das bebidas.

Reversões

Sabemos tão pouco do nosso organismo quanto sabemos do Universo. E não vamos nem falar no paradoxo insolúvel do cérebro, esse mecanismo tão complexo que nem ele é complexo o bastante para se entender. Nossas ignorâncias das estrelas e de nós mesmos se parecem porque, até pouco tempo, pareciam estar superadas. São ignorâncias que voltaram, como o ioiô e a tuberculose. Eu, pelo menos, me criei pensando que certas verdades sobre o Universo eram indiscutíveis. E no entanto, nem a teoria do Big Bang, o Grande Pum que teria dado origem a tudo, é aceita por todos. Ou já foi aceita por todos e hoje não é mais. Não faz muito li que certos experimentos tinham provado que a teoria da relatividade de Einstein estava certa. Só agora foi provado? Até agora era chute do doutor? Todas as teorias sobre o começo e o funcionamento do Universo são, ainda, só isto. Por mais longe que os cientistas cheguem com seus instrumentos de investigação do espaço, só estão aumentando o raio da sua perplexidade. E ainda vem a física quântica nos dizer que a indefinição começa nas menores subdivisões da matéria, que as subpartículas estão dando um baile na ciência.

Se a física tendo que reverter suas certezas semanalmente é assustador, imagine a medicina. O sal já foi um dos piores inimigos do hipertenso, hoje dizem que não só não faz mal como pode até fazer bem. Recomendava-se exercício constante e corridas para prevenir problemas cardíacos, hoje a receita é só caminhadas. Ou, melhor ainda, fique em casa e dance um tango — mas com moderação. Até a ação do colesterol está sendo discutida. O colesterol, como o Big Bang, também pode ser revisto. Eu estou só esperando a próxima reversão da medicina para exigir meus 200 papos-de-anjo de uma vez.

— Duzentos?

— Quero os atrasados.

E não deve estar longe o dia sonhado da redenção do ovo frito na manteiga.

Eu, Tarzan?

Eu era Tarzan, você era Jane, e pronto. Não precisávamos saber ou dizer mais nada. Sabíamos quem éramos e o que éramos, para sempre. Eu homem macaco, você minha fêmea. Eu Rei da Jângal, você e os negros meus adoradores. Eu caçar e matar bicho, você cozinhar bicho. E a nossa água era límpida e o nosso ar era puro e à noite nos amávamos. E as estrelas eram fixas no céu, pois assim seria para sempre.

Aí vieram os outros, com aquelas histórias.

Eles eram brancos, e em vez de me adorarem, como você e os negros, me explicaram. Eu era um lorde inglês! E você não tinha saído de um casulo para me servir como eu sempre pensara, era a filha de um missionário que se perdera na floresta e me encontrara por acaso. Que história era aquela? Eu não era mais só Tarzan, você não era mais só Jane. De repente, tínhamos sobrenomes, tínhamos parentes, tínhamos biografias. Os brancos nos infectaram com as nossas próprias histórias. Os brancos conspurcaram nossa clareira com o passado. Pois ter uma história para trás significava ter uma história pela frente, significava ter um fim, significava velhice e morte. Pela primeira vez, à noite, você disse "Hoje não, bem", e eu disse "Que história é essa?". Foram as nossas primeiras palavras civilizadas. E de repente até as estrelas estavam em movimento no céu, nascendo e morrendo diante dos nossos olhos atônitos. Até as estrelas tinham história!

Depois veio o problema com os negros. Não adiantou eu dizer que nada mudara, que se não me deviam obediência por eu ser Rei da Jângal, deviam por eu ser um lorde inglês. Me vaiaram. Me chamaram de símbolo da mentalidade colonial, e ainda fizeram pouco da minha tanga. A Cheeta, cuja lealdade eterna se baseava na presunção de que éramos meio parentes, também me repeliu. Se eu era inglês, era um intruso — e que história era aquela de caçar e matar bichos sem qualquer consideração ecológica, como se a Jângal fosse o meu reino, só porque eu era branco? E Jane não ajudava na minha crise de identidade.

— Eu, quem?

— E eu sei?

E chegamos a isto, Jane, ou como quer que você se chame agora. Eu uma entidade ontológica em trânsito, um ser perplexo de tanga a caminho do fim de todas as histórias, procurando um sentido nas estrelas e só vendo o silêncio piscando, você fazendo administração de empresas em algum lugar, insistindo para eu ter *e-mail* para, pelo menos, mantermos contato. E a água não é mais limpa, e o ar não é mais puro, e ando sentindo umas pontadas aqui do lado.

A vida eterna

Manoel foi pro céu. O que o surpreendeu muito. Ateu, descrente total, a última coisa que esperava era descobrir que há vida depois da morte. Mas morreu e, quando abriu os olhos, se viu numa sala de espera cheia de gente, com uma senha na mão, esperando para ser chamado para uma entrevista. Não havia um grande portão dourado, como vira em mais de uma representação da entrada do céu, e aparentemente São Pedro não era mais o porteiro. Fora substituído por recepcionistas com computadores que faziam a triagem dos recém-chegados. Mas o resto era igual ao que as pessoas imaginavam: nuvens, todo mundo de camisola branca, música de harpa...

A recepcionista era simpática. Digitou o nome de Manoel no computador e, quando a sua ficha apareceu, exclamou:

— Ah, Brasil! Português?

— Português.

E o português dela era perfeito. Fez várias perguntas para confirmar os dados sobre Manoel que tinha no computador. Sempre sorrindo. Mas o sorriso desapareceu de repente. Foi substituído por uma expressão de desapontamento.

— Ai, ai, ai... — disse a recepcionista.

— O que foi?

— Aqui onde diz "Religião". Está: "Nenhuma".

— Pois é...

— O senhor não tem nenhuma religião? Pode ser qualquer uma. Nós encaminhamos para o céu correspondente. Ou se o senhor preferir reencarnação...

— Não, não...

— Então, sinto muito. Sua ficha é ótima, mas...

Manoel a interrompeu:

— Não tem céu só pra ateu, não?

Não existia um céu só para ateus. Nem para agnósticos. Também não eram permitidas conversões *post-mortem*. E deixá-lo entrar no céu, numa eternidade em que nunca acreditara, talvez tirando o lugar de um crente, o senhor Manoel teria que concordar, não seria justo. Infelizmente, ela tinha que...

— Espere! — disse Manoel, dando um tapa na testa. — Me lembrei agora. Eu sou Univitalista.

— O quê?

— Univitalista. É uma religião nova. Talvez por isso não esteja no computador.

— Em que vocês acreditam?

— Numa porção de coisas de que eu não me lembro agora, mas a vida eterna é uma delas. Isso eu garanto. Pelo menos foi o que me disseram quando eu me inscrevi.

A recepcionista não parecia muito convencida, mas pegou um livreto que mantinha ao lado do computador e foi direto na letra U. Não encontrou nenhuma religião com aquele nome.

— Ela é novíssima — explicou Manoel. — Ainda estava em teste.

A recepcionista sacudiu a cabeça, mas disse que iria consultar o Chefe. Manoel deveria voltar ao seu lugar e esperar a decisão.

De volta ao seu lugar, Manoel se viu sentado ao lado de outro descrente. Que perguntou:

— Você acredita nisto?

— Eu... — começou a dizer Manoel, mas o outro não o deixou falar.

— É tudo encenação. É tudo truque. Eles tentam nos pegar até o último minuto. Olha aí.

E o outro se levantou e começou a chutar as nuvens que cobriam o chão da sala de espera.

— Isso é gelo seco! Você acha mesmo que existe vida depois da morte? Você acha mesmo que nós estamos aqui? Estão tentando nos engambelar. É tudo propaganda religiosa. É tudo...

Manoel saltou sobre o homem, cobriu sua cabeça com a camisola, atirou-o no chão e sentou-se em cima dele. Para ele ficar quieto e não estragar tudo. Era claro que também não acreditava em nada daquilo. Era tudo uma ficção para enganar os trouxas. Mas, fosse o que fosse, duraria a vida eterna.

A entrega

Você chega, esbaforido, a um lugar cheio de gente. As pessoas são seus parentes e amigos e "esbaforido" (grande palavra) descreve o seu estado com perfeição. Você está esbaforido. As pessoas estão impacientes. Algumas olham o relógio, outras sacodem a cabeça, reprovando o seu atraso. Você tenta se explicar.

— Desculpem, eu...

Mas dizer o quê? Foi o trânsito? Acordou tarde?

— Eu, eu...

Alguém pega o seu braço, ao mesmo tempo em que faz um gesto pedindo para você desistir das desculpas. Não há tempo para isso. O importante é não atrasar mais a coisa. Você é puxado para dentro de um recinto onde a aglomeração é maior. As pessoas abrem caminho para você passar. Você vê caras conhecidas, mas nenhuma amistosa. Todos estão cansados de esperar. Onde já se viu, chegar atrasado desse jeito? Logo hoje?

A pessoa que puxa você pelo braço se vira, examina você e pergunta:

— Você vai assim mesmo?

Você se olha.

— Assim como?

— Sem gravata?

— Esqueci a gravata.

— Tome a minha.

— Obrigado. Depois eu...

Você se dá conta de que não poderá devolver a gravata. Chegaram ao caixão vazio, em volta do qual estão os seus parentes e amigos mais próximos. E o padre, que também olha o relógio acintosamente, antes de perguntar:

— O que foi, esqueceu?

— Não, é que...

O padre também não quer ouvir desculpas. Diz que é inconcebível alguém carregar seu próprio cadáver durante toda a vida, sabendo que terá de entregá-lo no fim, e simplesmente esquecer. Tão inconcebível quanto um entregador de *pizza* esquecer, no meio do caminho, o que está fazendo. Ou pensar que a *pizza* é sua. O que foi, pensou que pudesse ficar com o corpo?

— Não, eu...

— Está bem, está bem. Coloque o seu corpo no caixão, rápido. Está em cima da hora.

Você se deita no caixão, depois de botar a gravata. Pensa: os defuntos são bem-vestidos pela mesma razão que a gente limpa qualquer coisa emprestada antes de devolver. Pensa em perguntar se lhe darão algum tipo de recibo, mas desiste porque já estão fechando a tampa. Aí você acorda.

Gente-casa

Existe gente-casa e gente-apartamento. Não tem nada a ver com o tamanho: há pessoas pequenas que você sabe, só de olhar, que dentro têm dois pisos e escadaria, e pessoas grandes com um interior apertado, sala e quitinete. Também não tem nada a ver com caráter. Gente-casa não é necessariamente melhor do que gente-apartamento. A casa que alguns têm por dentro pode estar abandonada, a pessoa pode ser apenas uma fachada para uma armadilha ou um bordel. Já uma pessoa-apartamento pode ter um interior simples mas bem ajeitado e agradável. É muito melhor conviver com um dois quartos, sala, cozinha e dependências do que com um labirinto.

Algumas pessoas não são apenas casas. São mansões. Com sótão e porão e tudo que eles comportam, inclusive baús antigos, fantasmas e alguns ratos. É fascinante quando alguém que você não imaginava ser mais do que um apartamento com, vá lá, uma suíte, de repente se revela um sobrado com pátio interno, adega e solário. É sempre arriscado prejulgar: você pode começar um relacionamento com alguém pensando que é um quarto-e-sala conjugado e se descobrir perdido em corredores escuros, e quando abre uma porta, dá no quarto de uma tia louca. Pensando bem, todo mundo tem uma casa por dentro, ou no mínimo, bem lá no fundo, um porão. Ninguém é simples. Tudo, afinal, é só a ponta de um *iceberg* (salvo ponta de *iceberg*, que pode ser outra coisa) e muitas vezes quem aparenta ser apenas uma cobertura funcional com qrt. sal. lavab. e coz. só está escondendo suas masmorras.

Este livro foi impresso na
LIS GRÁFICA E EDITORA LTDA.
Rua Felício Antônio Alves, 370 – Bonsucesso
CEP 07175-450 – Guarulhos – SP
Fone: (11) 3382-0777 – Fax: (11) 3382-0778
lisgrafica@lisgrafica.com.br – www.lisgrafica.com.br